Scrittori italiani

Luigi Malerba

LE MASCHERE

Romanzo

Arnoldo Mondadori Editore

Dello stesso autore

Nella collezione Scrittori italiani
Testa d'argento
Il fuoco greco

Nella collezione Passepartout
Le galline pensierose

Nella collezione L'ottagono
Testa d'argento

Nella collezione Oscar
Il serpente
Il protagonista
La scoperta dell'alfabeto

Nella collezione Libri per ragazzi
Pinocchio con gli stivali
La storia e la gloria

ISBN 88-04-39366-1

© *1995 Arnoldo Mondadori Editore S.p.A., Milano*
I edizione gennaio 1995

Le maschere

"... e ricordati che ammazzare un uomo è la cosa più facile del mondo."

Luigi Malerba, *Le maschere*

Primo quadro

Annunciata dai rintocchi della campana grande del Campidoglio, la morte improvvisa di Papa Leone X la mattina del 2 dicembre 1521 aveva suscitato nella popolazione romana quei misti sentimenti di commozione e di eccitazione che accompagnano sempre la scomparsa dei personaggi che hanno condizionato con la loro presenza la vita e la storia di una grande comunità.

Morto il Papa si pose subito il problema della successione. Ma il Collegio Cardinalizio tardò quasi un mese prima di riunirsi in Conclave per aspettare che venisse liberato il Cardinale Ferreri arrestato a Pavia dagli "imperiali" devoti a Carlo V. Il partito dei Cardinali favorevoli al Re di Francia Francesco I non voleva perdere il voto di un componente del Sacro Collegio di sentimenti dichiaratamente filo-francesi.

Le operazioni elettorali cominciarono solo il 27 dicembre sotto torbidi auspici a causa del contrasto tra le due fazioni degli "imperiali" e dei "francesi". L'elezione di un nuovo Papa si presentò subito come un curricolo serpentino che riportava i Cardinali ogni volta al punto di partenza, e le votazioni si seguirono l'una all'altra senza approdare a una maggioranza. In città si celebravano messe e si facevano scommesse, ci fu anche qualche processione per invocare un rapido accordo fra i membri del Sacro Collegio. Baldesar Castiglione, Ambasciatore dei Gonzaga di Mantova presso lo Stato della Chiesa, scrisse che "ogni mattina s'aspetta la discesa dello Spirito Santo; mi pare però che Esso si sia allontanato da Roma".

Arrivati all'undicesimo scrutinio, il 9 gennaio 1522 finalmente lo Spirito Santo discese svolazzando sotto l'alta volta della Cappella Sistina dove si svolgeva il Conclave, provocando un accordo frettoloso e portatore di tante e gravi incognite.

Il Cardinale Medici, viste le difficoltà di un consenso di maggioranza sui candidati dei due opposti schieramenti, arringò brevemente i votanti.

«Veggo che di noi che siamo qui raccolti, nessuno può diventar Papa. Io ho proposto tre o quattro, ma furono rifiutati; quelli messi avanti da altra parte io non posso per molti motivi accettarli. Noi pertanto dobbiamo cercare uno che non sia presente, che però deve essere Cardinale e buona persona. Prendete il Cardinale di Tortosa Adriano Florensz di Utrecht, uomo venerando di sessantatré anni, che da tutti è reputato Santo.»

Intervenne a questo punto il Cardinale Caetani, che aveva conosciuto il nuovo candidato, e ne descrisse l'onorevole persona. Dopo questo primo consenso alla proposta del Medici, un po' per la stanchezza e un po' per generica convinzione, seguirono gli altri e in breve si raggiunse la maggioranza dei due terzi.

Dopo tanti contrasti le due fazioni rivali avevano finalmente trovato l'accordo su un assente Cardinale fiammingo sconosciuto alla maggioranza dei votanti. A questo punto il Cardinale Cornaro, Decano del Collegio Cardinalizio, ebbe il compito di annunciare dalla finestra sulla piazza della Basilica il nome del nuovo Papa. Ma il vecchio Cornaro aveva una voce così debole, fatta più debole forse per la grave incertezza dell'evento, che il Cardinale Campegio dovette ripetere l'annuncio al popolo in attesa.

Gran folla era accorsa a San Pietro per vedere affacciarsi alla finestra il nuovo Papa, ma si apprese con stupore e con ira che si trattava di un Papa fiammingo, che affacciare non si poteva perché abitante nella lontana Spagna. La notizia della elezione di un "barbaro" come guida della Chiesa Cattolica Apostolica Romana parve un oltraggio alla Cattedra di Pietro e al popolo dei fedeli. Sarebbero dunque passati dei mesi prima che il nuovo Papa potesse giungere a Roma. O addirittura si correva il rischio di una nuova Avignone. Il popolo si abbandonò a grida e maledizioni. Ma disperatissimi erano fra tutti i cortigiani di Leone X perché sapevano che nell'interregno non avrebbero ricevuto le loro prebende e che il Papa fiammingo sicuramente avrebbe chiamato a Roma dei compatrioti a ricoprire le cariche di maggior reddito e onore.

I Cardinali del Conclave si resero conto subito dell'errore che avevano fatto, della impopolarità e dei rischi di quella elezione, e già erano pentiti di una decisione presa troppo in fretta e in un momento di stanchezza dopo tanti scrutini andati a vuoto. Un testimone li descrisse pallidi e sbigottiti come spiriti del Limbo.

Lo Stato Pontificio era in grave situazione debitoria per la grandiosa prodigalità del defunto Leone X, per gli sprechi e i lussi della Curia e per la necessità di rintuzzare con dispendiose spedizioni militari i continui tentativi dei due rivali Carlo V e Francesco I di impossessarsi dei territori pontifici. Un Papa assente, e per di più un "barbaro" cresciuto sotto la protezione di Carlo V, ora appariva a tutti come la soluzione peggiore per risolvere le difficoltà della Chiesa.

Quando i Cardinali lasciarono il Conclave, la folla li accolse con fischi, parole di scherno e minacce. Volarono anche delle sassate per cui da quel giorno i porporati si rinchiusero tutti nei loro palazzi e per alcuni mesi non osarono uscire nelle strade e mostrarsi al popolo irato.

I

Il Cardinale Cosimo Rolando della Torre stava son-
necchiando nello studio al piano nobile del suo palazzo di piazza dell'Oro in fondo a via Giulia. Dietro
le vetrate di due alte finestre in vista del Tevere il sole estivo arroventava l'aria suscitando dalla terra
umida delle vigne e degli orti lungo il fiume una den-
sa foschia che stagnava su Roma fin dal primo mattino e confondeva i contorni di Castel Sant'Angelo e
sfumava tutto il panorama di Borgo e del Colle Vaticano. Già due volte un uccello era venuto a sbattere
le ali contro le vetrate nella speranza di trovare un rifugio e forse un po' di cibo, e aveva fatto sobbalzare
il Cardinale che si era domandato come mai tutti vo-
lessero trovare protezione proprio da lui che aveva
già tanti affanni per mantenere la Famiglia installata
nel suo palazzo. Si era detto, in un breve pensiero,
che il magro Piatto Cardinalizio non gli permetteva
di aumentare la sua Famiglia nemmeno della presenza di quell'uccelletto importuno, il quale non aveva
capito che quello non era il momento propizio per
chiedere ospitalità.

Il Cardinale teneva i piedi poggiati su uno sgabello
in posizione di ristoro dentro le pantofole allentate

per il sonno pomeridiano. Ai piedi il porporato era solito attribuire tutti i suoi malanni, comprese le frequenti emicranie, e a loro dedicava morbide pantofole di velluto, calze di seta e anche qualche preghiera. Nella mano che penzolava dal bracciolo dell'austero seggio sistemato tra le due finestre, il Cardinale teneva stretta una grossa chiave. Poco alla volta la mente gli si annebbiò, gli occhi gli si chiusero del tutto, la testa si reclinò in avanti e le dita allentarono la presa fino a quando la chiave cadde sul pavimento e il tintinnio del metallo sul marmo interruppe il sonno appena cominciato.

Il Cardinale rialzò la testa, riaprì gli occhi e lentamente allungò la mano a raccogliere la chiave. Di nuovo appoggiò la testa allo schienale del suo alto seggio e abbassò le palpebre disponendosi nuovamente al sonno. Nessun pensiero attraversò la sua mente, ma solo l'immagine sfumata di un volto femminile che compariva e scompariva nel mezzo sonno e nella mezza veglia, in una nuvola di sogno e di afa pomeridiana.

Trascorsero brevi istanti di riposo fino a quando la mano allentò la presa e la chiave cadde sul pavimento interrompendo un'altra volta il sonno con il solito tintinnio del metallo sul marmo. Pazientemente, con premeditata ostinazione, il Cardinale raccolse la chiave e si accinse a ripetere quel singolare esercizio.

Con questo stratagemma, che poteva sembrare una sottile tortura, il Cardinale non intendeva punirsi dei peccati che sicuramente aveva commesso nonostante l'alto onore della porpora, ma stava in allarme mettendo in pratica un insegnamento degli antichi saggi cinesi. Sembra infatti che i pochi istanti in cui il sonno offusca la mente e si impadronisce delle nostre membra siano quelli che procurano il vero riposo più di un lungo sonno. E Dio sa quanto avesse bisogno di riposo il Cardinale della Torre in quei giorni di turbolenze cittadine e di tribolate diplomazie in seno alla inquieta Curia Romana. Turbamenti intrighi acrimonie sospetti, insieme al tormento delle emicranie, si erano addensati intorno alla persona del Cardinale, alla sua Casa e alla sua Famiglia.

Il Cardinale aveva dovuto adeguarsi alle quotidiane simulazioni necessarie alla sopravvivenza in quel periodo di continue incertezze e di repentini mutamenti al vertice del Governo Provvisorio dello Stato Pontificio, disposti o provocati di volta in volta da chi pensava di trarre profitto dalla assenza del Pontefice. A questo si aggiungevano le quotidiane intemperanze e turcherie dei Conservatori in Campidoglio, sempre lesti a volgere a proprio vantaggio il disordine e il malaffare cittadino. La Capitale della Cristianità, disfatta delle sustantie, di vita e dell'honore, vedeva advicinarsi la infame et ultima ruina. Adirittura uno dei Governatori, accesose di molto adusta et più fervente collera, incolpava gravemente Dio della pessima fortuna dei Romani. Roma, già regina et dea universale, vedevasi al presente tanto nihilata da precipitare in obscurissima et solitaria latebra.

Lo stato di continua vigilanza, la necessità di sospettare tutti, compresi i suoi Famigliari, non consentivano al Cardinale di volgere sufficienti pensieri a un oggetto di desiderio che portava il nome gentile di Palmira. Lo stato nebuloso del sonno cinese sembrava particolarmente adatto a evocare il volto di quella donna che passava davanti agli occhi della sua mente con le luci e i colori del così detto amore. Aveva già deciso, il severo Cardinale, che avrebbe riservato a lei i pensieri della notte e che avrebbe tenuto le ore del giorno per gli affari e gli affanni che gli venivano dal suo alto ufficio.

Gli era sembrata una decisione saggia questa divisione, ma sempre più il pensiero di Palmira invadeva anche il campo riservato agli altri pensieri. Si disse allora che i tempi del sonno cinese, quei pochi istanti di buio e rilassatezza rubati alla luce, poteva forse attribuirli all'area della notte. Il sonno non era per sua natura una istituzione notturna?

Che il Cardinale non fosse soddisfatto del proprio ufficio non lo aveva mai nascosto fin dal giorno in cui aveva comprato la porpora cardinalizia a suon di ducati d'oro e l'alto prezzo si era reso necessario perché già in due occasioni erano stati preferiti a lui per quell'ufficio altissimo, prima un oscuro e giovane patrizio genovese legato da varie parentele ai banchieri di quella città che sostenevano le finanze di Leone X, e poi un Piccolomini che, si diceva con malizia, aveva tutto piccolo, a cominciare dalla testa.

Il giorno della grande infornata del 1513 il Papa aveva in una sola volta nominato trentuno nuovi porporati e con i denari ottenuti aveva risanato almeno in parte i bilanci dello Stato Pontificio. Ma a tante nomine non corrispondevano altrettanti benefizi e da allora il nuovo Cardinale Cosimo Rolando della Torre, di modesta nobiltà e di scarsi mezzi personali, aveva dovuto accontentarsi del parsimonioso Piatto Cardinalizio per sostentare una Famiglia vorace e mantenere un palazzo al di sopra delle sue finanze. Un costume di lussi diffuso e deprecato dai molti che accusavano gli alti prelati de non considerare che il sumptuoso et eccessivo fabricare, et lo ornato universale de' cittadini, temer se deve causarne la ruina de quelle famiglie che mal conoscono el gran periculo della loro conditione.

Quando la chiave cadde sul pavimento per la decima volta, e per la decima volta il tintinnio del metallo lo riscosse dal sonno appena accennato, il Cardinale decise che si era riposato a sufficienza. Allungò la mano ancora intorpidita e invece di raccogliere la chiave diede quattro strappi al cordone della campanella per richiamare presso di sé il giovane Diacono Baldassarre Servitore di Camera, che aveva avuto l'incarico di vegliare all'ingresso della Casa fino a quando i fabbri non avessero installato un pesante cancello per difendere il Palazzo dalle possibili aggressioni che, in quei giorni di disordine cittadino, avevano preso di mira le residenze che si ritenevano più ricche di bottino.

Erano state saccheggiate già sette Case cardinalizie e, per quanto la sua non fosse certo una miniera d'oro e argento, i due metalli ricercati e apprezzati dai briganti che infestavano Roma, bisognava mettere in conto anche le vendette private e la furia popolare contro i Cardinali che avevano eletto il Papa straniero. Ancora risuonavano nelle sue orecchie sbigottite gli sberleffi e le minacce all'uscita dal Conclave insieme agli altri porporati. Dopo il percorso dai Palazzi Vaticani fino a Castel Sant'Angelo lungo il Passetto dei Corridori costruito da Alessandro VI sopra le Mura Leonine, le grida della folla li avevano accolti ancora all'uscita del Castello e accompagnati lungo il Ponte Sant'Angelo fino all'altra riva del Tevere dove sostavano le carrozze.

Il Cardinale sapeva per certo di avere dei nemici attenti a ogni sua mossa come falchi in agguato. Nessun momento come questo era propizio ai colpi di mano e alla soppressione anonima dei cristiani inermi. Dopo che il veleno aveva spedito in Cielo l'anziano Chierico di Camera, che aveva chiamato a far parte della sua Famiglia con lo scopo di ereditarne la carica di Abbreviatore e i relativi benefizi, si era detto che anche per lui era arrivato il momento di stare in guardia.

Per conto di chi l'anziano Chierico era stato avvelenato? Tutto sembrò chiaro quando si venne a sapere che la carica di Abbreviatore era stata prenotata presso gli Uffici della Dataria, qualora si fosse resa disponibile per rinuncia o per decesso del titolare, dall'Eminentissimo Cardinale Valerio Ottoboni. Così il Cardinale della Torre aveva mantenuto per sei anni nella sua Casa quel vecchio uggioso e goloso oltre ogni limite di tolleranza, per poi vedersi sottratta la carica da un estraneo con un colpo di mano che fra l'altro l'aveva messo in ridicolo presso tutta la Curia Romana. Una ignobile rapina e una beffa umiliante perché il Cardinale Ottoboni non si era accontentato di appropriarsi della carica di Abbreviatore, che aggiungeva al suo già ricco cursus honorum, ma aveva voluto festeggiare l'evento con un grande banchetto al quale avevano partecipato numerosi membri del Sacro Collegio.

Lo scorno era tanto più doloroso in quanto aveva rivelato la complicità degli ufficiali della Dataria che avevano registrato la prenotazione del Cardinale Ottoboni senza informare chi ospitava da anni nella propria Casa l'anziano titolare della carica. L'acquisto del titolo di Abbreviatore e dei benefizi annessi si inscriveva in un vasto disegno dell'Ottoboni che mirava all'accumulo di cariche "in sede", che non solo erano più redditizie, ma non correvano il rischio di venire abolite come quelle "fuori sede" sulle quali il nuovo Pontefice si era subito pronunciato negativamente considerandole un elemento di disordine e di corruzione in seno alla Curia Romana.

Finalmente il Cardinale della Torre sentì avvicinarsi i passi del giovane Diacono Baldassarre, suo Servitore di Camera con mansioni di varia industria e segretezza come consegnare messaggi riservati, presentare domande agli Uffici della Dataria per i benefizi vacanti, raccogliere notizie diplomatiche e amministrative, andare a riscuotere il Piatto Cardinalizio negli Uffici della Tesoreria e altri incarichi privatissimi, come raccogliere informazioni sul mittente dei veleni introdotti nella Casa del Cardinale.

Nell'ora del sonno pomeridiano il Diacono Baldassarre doveva sorvegliare la Casa per evitare che entrassero persone sospette, controllare i fornitori e chiunque avesse ottenuto il lasciapassare dai due gendarmi alla porta. Dietro al suo spioncino a fianco dell'ingresso doveva inoltre interrogare chiunque chiedesse udienza presso il Cardinale, prestare attenzione che nessuno si introducesse nella Casa per altre vie e dare l'allarme se notava movimenti sospetti nella strada. Dopo l'elezione del Papa fiammingo, ancora assente ma già cagione di rovinose inquietudini popolari, era diventata difficile impresa distinguere i postulanti dai malfattori che tentassero di introdursi nella Casa di piazza dell'Oro.

Quando il giovane Diacono Baldassarre si presentò al Cardinale ancora seduto sul suo seggio, dovette aspettare che questo gli rivolgesse la parola. Il giovane era rimasto in piedi e stranito davanti al Cardinale che lo scrutava con sguardo ironico, ma in silenzio. Cominciava dunque a innervosirsi e, per quanto fosse avvezzo alle stranezze del suo Signore, questo silenzio aveva già turbato la sua calma riflessiva e la sua serenità di servo fedele.

Finalmente il Cardinale fece sentire la sua voce.

«Nessuno si è presentato alla porta?»

«Nessuno, Eminenza.»

«Posso fidarmi della tua diligenza? Tu pensi che io possa riposare tranquillo o che mi convenga fare la guardia a me stesso?»

Il giovane Diacono guardò il Cardinale con apprensione.

«Io sono un uomo debole ma fedele.»

«Che cosa intendi dire quando parli della tua debolezza?»

«Intendo dire, Eminenza, che l'uomo non è perfetto né con gli occhi né con l'udito e perciò può essere soggetto a qualche errore, ma la buona disposizione dell'animo e la fedeltà nei vostri confronti sono qualità sulle quali potete contare.»

«Mi stai dicendo che hai eseguito con diligenza il tuo incarico o che devo accontentarmi della tua buona disposizione d'animo?»

«Tutte e due le cose, Eminenza.»

«Avvicinati.»

Il giovane Diacono fece un passo avanti verso il Cardinale che lo guardò in viso con attenzione.

«Voltati da quella parte e avvicinati ancora.»

Il Cardinale lo fece voltare in modo che la sua guancia destra venisse meglio illuminata dalla luce della finestra.

«Vedo sulla tua guancia dei geometrici segni rossi. Se non mi sbaglio questi segni corrispondono alla trama della sottile grata di ferro attraverso la quale avresti dovuto sorvegliare l'ingresso. Che cosa significano questi segni impressi sulla tua guancia?»

Il Diacono Servitore di Camera rimase in silenzio per qualche istante, il tempo di preparare una risposta dignitosa e non troppo compromettente.

«Significa, Eminenza, che sono stato appoggiato con la guancia alla grata della finestretta.»

Il Cardinale abbozzò appena un sorriso.

«Su questo non vi sono dubbi. Ma ora io ti domando: credi che la tua risposta sia sufficiente o che invece nasconda qualche reticenza?»

«Mi scuso con Vostra Eminenza, ma reticenza è una parola che ha significati ambigui.»

«Vediamo se riesco a essere chiaro. Un tempo ho insegnato retorica in un collegio di Perugia e sapevo dare un senso alle parole con chiarezza sufficiente anche per i ragazzi più svogliati. Direi che reticenza è un atteggiamento di cautela, o di malizia, per cui si tace una parte essenziale del discorso in modo da falsarne il senso.»

Il Diacono rimase ancora una volta in silenzio per qualche istante e poi abbassò gli occhi e finalmente si decise a fare la sua confessione.

«Sono stato reticente, Eminenza.»

«Quei segni sulla guancia ti hanno tradito, sono il segno visibile della reticenza.»

«Sì, Eminenza.»

«Hai confessato di essere rimasto appoggiato con la guancia alla grata della finestretta, ma hai taciuto che in quella posizione hai dormito. È così?»

«È così, Eminenza.»

«Sei riuscito a nascondere la verità senza mentire.»

Il Diacono trattenne a stento un sorriso di soddisfazione.

«Sì, Eminenza.»

Il Cardinale fece una pausa.

«Quando verrà installato il cancello davanti alla porta di ingresso?»

«Entro la giornata di domani. Così ha detto il fabbro.»

«Quando sarà installato il cancello avrai qualche giorno di libertà. La tua sorveglianza lascia molto a desiderare, mentre in altre occasioni ti sei reso utile nella raccolta delle informazioni, anche se ancora non sono riuscito ad avere la conferma sulla persona che ha ordinato di avvelenare il nostro Abbreviatore Chierico di Camera, requiescat in pace, e insieme di attentare anche alla mia vita.»

Il Diacono lo guardò con ostentata meraviglia.

«Non sarebbe la prima volta, Eminenza, che si uccide una persona per rendere disponibile la sua carica, ma non capisco perché qualcuno dovrebbe attentare alla vostra salute.»

«Se estendi il tuo discorso alle più recenti contingenze ti accorgerai che ora sono io in pericolo. L'anziano Chierico era sicuramente il primo obiettivo dell'avvelenatore, ma io credo che quel veleno fosse indirizzato anche alla mia persona allo scopo di ottenere un doppio risultato: impossessarsi della carica di Abbreviatore ed eliminare un pericoloso rivale per altri onori ancora più ambiti e sostanziosi. Anche se questa volta sono sfuggito al veleno, sento intorno a me aria di congiura e non mi posso permettere di riposare in pace nemmeno nel breve tempo che mi concedo dopo il pranzo meridiano.»

«Io cercherò di avere le notizie che mi chiedete, ma da quando è stata eliminata quella donna che lavorava giù nelle cucine, mi pare che non avete più nulla da temere dentro la vostra Casa.»

«Eliminata è una parola che non mi piace. Quella malvagia avvelenatrice è stata rinchiusa nel carcere di Tor di Nona, e questa mi pare che fosse la punizione che si meritava e di cui mi sento responsabile. Che poi sia stata strangolata nella sua cella fa parte del suo destino, che dipende dalla volontà di Dio, non dalla mia.»

«Forse ci conviene attribuire anche la morte del nostro Chierico Abbreviatore alla volontà di Dio e metterci l'animo in pace. Che ne dite, Eminenza?»

«Eh no, Dio non ha avvelenato il nostro Chierico. Tra l'altro era così vecchio che presto lo avrebbe raggiunto in Cielo senza bisogno del veleno.»

«Era la persona più vecchia di tutta la vostra Famiglia e il veleno ha solo anticipato la sua morte.»

«Vorresti dire che gli avvelenatori hanno agito con saggezza?»

«Ho detto soltanto che era molto vecchio.»

«Ma io non sono molto vecchio. E allora?»

Il Diacono restò disorientato e senza parole.

«E non ti sei domandato perché sono ancora in pericolo dopo la scomparsa di quella donna? Chi sa usare il veleno può eliminare i suoi nemici anche con altri mezzi, non credi? La volontà di uccidere è più forte del veleno e del pugnale, trova cento strade, mille strade. La nostra vita è così esposta, e così fragile.»

«Domani avremo un robusto cancello che ci proteggerà dai pericoli della strada.»

«Non mi basta. Ci sono briganti che non temono i cancelli di ferro.»

«Immagino a chi volete alludere, Eminenza, ma non capisco perché dovreste temere tanto un uomo che ha lo stesso potere vostro. Siete due pari grado a quanto mi risulta.»

Il Cardinale della Torre aveva una sicura fiducia nella lealtà del Diacono Baldassarre al quale, nonostante qualche ingenuità e sbadataggine giovanile, già in varie occasioni aveva affidato incarichi riservati.

«Io non corro rischi nella mia qualità di Cardinale, ma come concorrente alla carica di Camerlengo, tanto per fare chiarezza nel concorso delle ambite gerarchie.»

«Lo avevo capito, Eminenza, ma non credevo che per questo fosse in pericolo la vostra vita.»

«Lo è.»

«La verità qualche volta è proprio inverosimile. Ditemi che cosa devo fare.»

«Come vedi non ho segreti per te. Ti ho informato con spirito analitico della situazione, dei miei onesti desideri e dei pericoli che questi desideri mi procurano. Adesso voglio soltanto che tu ti prenda una breve vacanza» disse il Cardinale con un mezzo sorriso «sperando che tu sappia farne un uso profittevole.»

Il Cardinale fece un gesto per far capire al suo confidente che il colloquio era finito. Il Diacono Baldassarre baciò l'anello di zaffiro e si allontanò con passo leggero.

II

Quattro settimane dopo la morte di Leone X si era ammalato di peste l'anziano Cardinale Accolti, Camerlengo Presidente della Reverenda Camera Apostolica, suscitando lo sgomento dei molti Cardinali i quali si illudevano che la porpora li proteggesse dal contagio. Si disse anzi che il povero Accolti fosse diventato tutto nero come caligine, e nessuno era andato a rendere l'ultimo saluto alla salma. Lo avevano sepolto senza cerimonie, con una orazione frettolosa declamata da un poetastro della Accademia dei Sonnolenti fatto venire da Civitavecchia perché a Roma non si era trovato nessuno che si prestasse a parlare su quel morto di peste nera.

Appena il Cardinale Accolti ebbe resa l'anima a Dio, avevano subito avanzato pretese per la successione alla carica di Camerlengo sia il Cardinale Cosimo Rolando della Torre che il Cardinale Valerio Ottoboni, ancora una volta in durissima competizione.

La carica di Camerlengo dava diritto a partecipare ai cortei su una mula bianca con valigia rossa stemmata, a portare galloni d'oro e porpora sul mantellone di seta e a fregiarsi del titolo di Commensale del Papa. Si richiedeva la presenza del Camerlengo negli

Uffici della Camera Apostolica in occasione della emissione dei Brevi papali che partivano dalla Sede di Roma con effetti impositivi e obbligo di obbedienza, mentre i Brevi di paterna suggestione venivano discussi in Camera Segreta o lasciati alla discrezione del Pontefice. La presenza del Camerlengo sia nella Camera Apostolica che nella Pontificia Camera Segreta conferivano a questa carica non solo un alto prestigio, ma una effettiva capacità di influenzare le decisioni del Pontefice.

Il Camerlengo era di fatto e di nome il Capo della Camera Apostolica e sulla sua persona si accentravano le attribuzioni dei vari ordini di quel supremo Organo di potere: la Tesoreria Generale, la Computisteria Generale, le varie Tesorerie Provinciali, le cariche dei Chierici di Camera che comprendevano, oltre all'Ufficio dell'Abbreviatore, la Prefettura dell'Annona e le Presidenze della Grascia, delle Strade, delle Ripe, della Zecca, delle Carceri, delle Dogane, degli Acquedotti, delle Armi, degli Archivi e infine il Commissariato del Mare e la Prefettura di Castel Sant'Angelo. Il Vice-Camerlengo, alla diretta dipendenza del Camerlengo Presidente, aveva in aggiunta la carica di Governatore di Roma con vastissime competenze civili e criminali insieme all'Auditore di Giustizia.

Alla morte del vecchio Camerlengo, spirato subito dopo la elezione del Papa fiammingo senza avere partecipato alla votazione, si era mormorato che proprio quella notizia terribile arrivata dal Conclave gli avesse dato l'ultima spinta a volare in Cielo e ad allontanarsi definitivamente da questo mondo infelice.

Incominciarono dunque da parte dei due Cardinali Cosimo Rolando della Torre e Valerio Ottoboni le manovre per accaparrarsi la preziosa poltrona di Camerlengo.

Di regola l'investitura era competenza del Pontefice ma, durante una sua assenza prolungata, poteva avvenire per elezione ai voti da parte del Sacro Collegio dei Cardinali. Ma la elezione in assenza del Papa poneva un paradossale problema di procedura. Anzitutto si doveva convocare il Collegio Cardinalizio, autorizzato in assenza del Papa alla elezione del nuovo Camerlengo qualora si ritenesse necessaria e urgente. Senonché la convocazione del Sacro Collegio era prerogativa e compito esclusivo del Papa. Si era pensato dunque di ovviare a questo ostacolo procedurale con una riunione dei Cardinali senza una convocazione ufficiale, come se fosse avvenuta casualmente o per intervento suggestivo dello Spirito Santo. Se si fosse riusciti in questo progetto, il nuovo Papa avrebbe finito per accettare "pro bono pacis" lo stato di fatto e mantenuto in carica il nuovo Camerlengo. Ma nessuno aveva preso l'iniziativa di convocare "sine forma" i Cardinali, e lo Spirito Santo era latitante.

La posta era molto alta e tale da impegnare tutte le energie dei due Cardinali concorrenti senza esclusione di mezzi, compresa la preghiera alla quale sia l'uno che l'altro ricorrevano, come sussidio ultimo, nelle più difficili emergenze. Ma la situazione era rimasta bloccata per un eccesso di cautela diplomatica dei due maggiori interessati e per infingardaggine degli altri Cardinali.

Dopo i veleni che avevano spedito in Paradiso, secondo altri in Purgatorio se non addirittura in Inferno, l'anziano Chierico Abbreviatore, perseverante peccatore di gola, il Cardinale della Torre aveva manifestato qualche turbamento che sembrava smentire la sua fama di uomo risoluto e di forte sostanza. Turbamento per il timore di attentati, e continue emicranie accompagnate da malinconie di origine misteriosa sulle quali il Diacono Baldassarre aveva fatto le sue congetture.

Le letture del Cardinale per esempio si erano volte negli ultimi tempi alle notizie storiche sulle meretrici della romanità. Per rispetti umani, aveva detto il Cardinale al giovane Diacono Servitore di Camera. Ma che cosa significava quella espressione sibillina? Che cosa cercava il porporato in quelle letture? Forse le antiche dame libertine richiamavano alla sua mente il bianco volto di Palmira? Era convincimento del Diacono che la competizione con il Cardinale Ottoboni per la carica di Camerlengo fosse anche la copertura di una passione fosca e disperata. Furibonde gelosie era riuscita a scatenare al suo passaggio la pallida ferrarese con i capelli rossi e il viso punteggiato di lentiggini. Un Cardinale innamorato non si comporta come un qualsiasi innamorato e nemmeno più come un Cardinale. È un essere fuori della norma, anche se visto da fuori non dà segni di differenza. L'amore trasforma le persone, provoca mulinelli interni e mette un Cardinale con la testa al vento, gli sottrae porpora e dignità, lo fa somigliare quasi a un uomo.

Un giorno, sfogliando la Bibbia del Cardinale, il Diacono aveva trovato alcune righe del Vangelo secondo Marco sottolineate. Il brano riguardava l'arresto di Gesù da parte dei soldati romani nell'Orto di

Getsèmani, quando i discepoli spaventati si danno alla fuga. Le righe sottolineate erano queste: "Un ragazzo lo seguiva, avvolto con un panno di lino sul corpo nudo. I soldati tentarono di afferrarlo, ma egli, lasciato cadere il panno di lino, se ne fuggì via nudo". Il Diacono fu sconvolto da quelle poche righe, che non conosceva, e soprattutto dalla sottolineatura del Cardinale. Andò a controllare i Vangeli di Matteo, Luca e Giovanni. Nessuna traccia di quel ragazzo nudo. Che stranezza. Il Diacono si domandò chi fosse e che cosa facesse quel ragazzo nell'Orto di Getsèmani, ma soprattutto quali idee balzane frullassero nella mente del Cardinale che aveva sottolineato quelle poche righe così ambigue. In quale direzione andavano i suoi sentimenti delusi, i suoi impulsi? Cattive consigliere sono le delusioni.

Fino a quel giorno il Diacono non aveva mai avuto nessun indizio di deviazioni sospette nella vita del Cardinale, ma quella scoperta lo impensierì. Era solo una curiosità accademica o un pericoloso smarrimento dei sensi? Quanti misteri si incontrano ogni giorno intorno a noi, nella strada, nei libri, negli occhi e nel cuore del prossimo nostro.

Il giovane Diacono si mise nello stato d'animo di chi non solo doveva difendere la vita del Cardinale, ma stare attento anche alla propria integrità. Lui non temeva attentati da nemici oscuri come il Cardinale della Torre, ma doveva guardarsi dagli altri esseri deperiti e inquieti come lui, al servizio dei potenti, che più di una volta lo avevano molestato o avevano tentato di molestarlo. Ricordava in ogni momento difficile che l'aria è pesante, la terra è dura e purtroppo esiste un solo e unico mondo che conviene abitare nel modo più comodo possibile, ben nutriti e protetti, al riparo dalla pioggia e dal vento e lontano dalle pulci e dai topi.

La Casa del Cardinale, per quanto dissestate fossero le sue finanze da quando aveva preso a prestito cinquecento ducati dai banchieri fiorentini di Rione Ponte, per quanto il porporato si lamentasse della miseria del Piatto Cardinalizio, era più confortevole della squallida cella del Convento Francescano di via della Scrofa dalla quale lo aveva sottratto l'incarico di Servitore di Camera presso la Casa cardinalizia di piazza dell'Oro.

Il Priore del Convento gli aveva assegnato una cella proprio sotto il tetto, con le travi basse che gli battevano sulla fronte, gli spifferi che penetravano dalla porta sconnessa e dalla piccola finestra, le pareti scalcinate, sulle quali aveva scoperto un disegno osceno tracciato a carboncino, chissà se opera dei frati che lo avevano preceduto in quel luogo o di qualche maligno intruso.

Il giovane Diacono non aveva cancellato quegli sgorbi perché, si era detto, dovendo resistere alla tentazione di peccare, quella testimonianza del male poteva essere un richiamo agli onesti pensieri e comportamenti. Si era detto che la fede si serve di ogni mezzo per prevalere, ma ogni sera che rientrava in cella dopo il vespro i suoi occhi correvano a quelle figure oscene così come un uomo onesto non disdegna la compagnia eccitante del ladro o dell'uomo di ventura. Alla fine quel disegno di tratto maldestro ma di chiara espressione era diventato un diversivo per la sua mente debilitata dalle preghiere e dai digiuni estenuanti, una occasione offerta da una mano ignota alla sua immaginazione costretta in quel luogo di quotidiana solitudine e oppressa dalla malinconia ricorrente di giorni e di anni irrimediabilmente sottratti alla sua giovinezza.

Ma ciò che il giovane Diacono temeva di quella cella, più del freddo e del caldo, erano i topi. Topi grandi che dalle chiaviche arrivavano fino lassù rasentando i muri, attraversavano di corsa le scale e i corridoi del Convento, passavano sotto le porte sconnesse e arrivavano fino sul tetto. I topi erano portatori di peste, signori della penombra e della notte. Quante volte si era svegliato al rumore leggero del loro arrivo, un rumore morbido e veloce, inconfondibile, e appena accendeva la candela vicino al letto i topi prendevano la fuga passando attraverso fessure incredibilmente strette con quei loro corpi grandi e molli. Il giovane Diacono temeva che lo aggredissero mentre dormiva. Aveva sentito di fognaroli divorati dai topi, di bambini rosicchiati in volto durante il sonno, di cadaveri dilaniati sul catafalco. Ma ciò di cui i topi parevano specialmente ghiotti erano le pergamene.

Un giorno aveva trovato fra le pagine di un antico trattato di teologia un foglietto con poche righe scritte in una calligrafia quasi illeggibile e lo aveva deposto sullo scrittoio per decifrarlo il giorno dopo. Durante la notte un topo aveva rosicchiato il foglietto mutilando la frase che con fatica era riuscito finalmente a leggere. La frase diceva: "Demonstratio absoluti stat cum evidentia in existentia..." Dove stava la dimostrazione evidente dell'assoluto secondo l'anonimo scriba della pergamena rosicchiata dal topo? Se lo era domandato tante volte e da allora quella frase mutilata era diventata un rovello per il povero Diacono.

Quale segreto conteneva quella pergamena inserita tra le pagine della *Teologia* di Proclo? Non era tanto la speranza di trovare la verità nelle parole divorate dal topo, ma lo turbava l'idea che mai più nella sua vita avrebbe potuto conoscere il pensiero di quello scriba sconosciuto che con tanta sicurezza affermava di conoscere la dimostrazione dell'assoluto. Aveva letto con attenzione tutto il volume di Proclo per controllare se la frase fosse stata ricopiata dal testo del filosofo neoplatonico, ma senza risultato. Un vuoto, questo sì assoluto, era stato prodotto nella sua mente da uno di quegli infami roditori.

III

Il giovane Vescovo Ottoboni appena arrivato da Venezia sotto il Pontificato di Leone X si era installato in un palazzo di tre piani alla Dogana Vecchia nei pressi del Pantheon. A Roma aveva subito capito come funzionava la macchina delle assegnazioni e aveva stretto amicizia con il Segretario della Dataria che lo avvisava in anticipo dei benefizi che si rendevano disponibili per decadenza o rinunzia o morte dei titolari. Così era cominciata l'ascesa irresistibile del giovane prelato, l'accumulo dei benefizi, il restauro e l'arredo del sontuoso palazzo vicino al Pantheon, le tappe veloci verso la porpora e il successo mondano.

Fra gli alti prelati della Città Leonina si mormorava a denti stretti che l'Ottoboni doveva avere le ali ai piedi se non addirittura il dono della ubiquità. Era consuetudine che le alte gerarchie godessero di prebende anche oltre i confini della propria sede urbana o suburbana, ma non si era mai visto un cumulo di benefizi dislocati in luoghi così lontani e dispersi negli Stati della Cristianità. Mai l'Ottoboni sarebbe riuscito a visitare tutte le prelature che gli erano state assegnate quand'anche avesse deciso di passare gli anni della sua vita in mare o sulle strade polverose d'Europa.

Essendo nominato Cardinale della Chiesa di Santa Francesca Romana un anno dopo il suo arrivo nella Capitale, Valerio Ottoboni era insieme Vescovo di Cipro, Arcivescovo di Gloucester, Primate di Reims e, ancora giovinetto, aveva avuto in dote dal padre i titoli di Canonico delle cattedrali di Fiesole e d'Arezzo, di Rettore a Carmignano, a Giogoli, a San Casciano. In seguito aveva esteso il suo magistero canonico a San Pier di Casale, a San Marcellino di Cacchiano, a San Giovanni in Valdarno, a Spira nel Palatinato, a Magonza. Era diventato Priore a Montevarchi, Cantore a Sant'Antonio in Firenze, Prevosto a Prato, Abate a San Giovanni in Passignano, a Miransù in Valdarno, a Santa Maria di Morimondo, a San Martino in Fontedolce, a San Salvatore di Vaiano, a San Bartolomeo d'Anghiari, a San Lorenzo di Coltibuono, a Santa Maria di Montepulciano, a San Giuliano di Tours, a San Clemente di Volterra, a Santo Stefano di Bologna, a Pin nel Poitou, a La Chaise-Dieu.

Giustificava il Cardinale Ottoboni il cumulo dei benefizi con le spese della Casa e della scuderia, uomini e cavalli ugualmente dispendiosi, e con quelle per la mensa dei poveri che in verità veniva allestita con gli avanzi del mercato del pesce e con quelli delle verdure al Campo de' Fiori. Una mensa così magra e inappetibile che un giorno i mendicanti del rione, tutti smagriti come crocifissi, si erano radunati nella strada della Dogana Vecchia e si erano messi a bestemmiare davanti alla Casa e uno di loro aveva lanciato la sua ciotola piena di zuppa contro una finestra del piano nobile dove stava rinchiuso il Cardinale.

L'elenco dei benefizi del Cardinale Ottoboni aveva

suscitato l'ilarità del popolo e l'ira degli altri porporati, ma i suoi informatori dentro gli Uffici della Dataria e il favore del Segretario Generale continuavano
ad arricchire la sua collezione e ad alimentare la sua
insaziabile "libido pecuniae". Tuttavia l'acquisizione
dei benefizi, soprattutto di quelli esteri, si era rivelata
quasi sempre un affare mediocre dal punto di vista
pecuniario perché, sui rendiconti annuali che arrivavano dalla Computisteria della Reverenda Camera
Apostolica, l'attivo delle decime e delle regalie risultava pesantemente decurtato dalle imposte.

Della faccenda si era occupato Pasquino con un
cartello ingiurioso che nominava a rime forzate e con
eloquio dialettale gli otto vizzi capitali del Cardinale
Ottoboni, nominato Ottovizzi, e finiva con una allusione oscena all'usura dei suoi due voraci orifizzi.
Fatto strappare il cartello da un inserviente, il Cardinale Ottoboni divenne bersaglio di altre e ancora più
sconvenienti pasquinate che in breve furono sulla
bocca di tutti da una banda all'altra del Tevere.

«I dileggi di Pasquino sono un segno del successo» diceva il Cardinale a chi gli chiedeva come intendesse difendersi da quelle ingiurie. «Si occupa forse
Pasquino degli stallieri o dei Chierici rattoppati?»

Dopo la contestata elezione del Papa fiammingo,
anche il Cardinale Ottoboni si era rinchiuso in volontaria prigionia nel suo palazzo alla Dogana Vecchia e da qui non osava muoversi se non scortato da
otto uomini armati per non affrontare l'ostilità della
popolazione, ma soprattutto per timore dei malfattori che avevano via libera nella città messa in ab-

bandono e dissoluta tutta, per nessuno rispetto della reverenda autorità delle leggi così divine che humane, in tanta afflitione e miseria Roma essendo caduta in preda alla malavita.

Si incontravano per le strade ceffi galeotti o uomini mascherati che scorrazzavano a piedi e a cavallo armati di spade e di mazze, veri padroni della città. Gli inermi cittadini scantonavano alla loro vista o si rifugiavano nel primo portone aperto. Altri cittadini, un tempo frenati dalla paura della forca o della prigione, andavano in giro di notte per vendicare una offesa, per eliminare un rivale o per loro tenebrose fantasie. Ogni mattina si trovavano vittime stese nella polvere, uomini o donne immersi nel loro sangue. E chi non aveva il coraggio di affrontare da solo le strade della notte chiedeva aiuto a giovinastri che per pochi denari si prestavano a qualsiasi infamia.

Famigli scarniti per la fame canina trottavano scalzi sui selci arroventati dal sole a portare messaggi da una casa all'altra con richieste di aiuto fra i signori, rintanati a difesa della loro salute e dei loro ori e argenti, o fra gli alti prelati, facile bersaglio se si avventuravano nelle strade senza la protezione di gendarmi bene armati. Le donne di malaffare uscivano dai quartieri dell'Ortaccio o del Pozzo Bianco per esibire le loro nudità e offrire il loro letto dietro pagamento di pochi carlini a stranieri, uomini di commercio, preti, pellegrini o cercatori di ventura che si incontravano sulle strade cittadine. Al generale disordine si univa il terrore della peste di cui si annunciavano ogni giorno nuove tante vittime.

Rintanato dunque nel suo ombroso e lussuoso palazzo, ben protetto da robuste ferrate e da gendarmi armati, il Cardinale Ottoboni poteva ancora godersi i suoi privati piaceri e privilegi e, con sempre più ardita determinazione, tesseva le sue trame mondane. Cuochi panettieri pasticceri scalchi e coppieri lavoravano al suo servizio e per la prima volta aveva introdotto a Roma, con grande meraviglia degli ospiti, l'uso della forchetta, importata da Venezia dove a sua volta era entrata in uso importata da Bisanzio. Cacciagione, paste dolci e vini pregiati venivano consumati alla mensa di Casa Ottoboni con sfarzose apparecchiature di porcellane, argenti, cristalli, lini di Reims e tovaglierie di Fiandra.

La sua candidatura alla carica di Camerlengo, aveva riferito il Diacono Baldassarre al Cardinale della Torre, godeva di vasti appoggi procurati dalle relazioni con gli alti Prelati che frequentavano la sua Casa e i suoi banchetti. La presenza del Cardinale Ottoboni alle battute di caccia di Leone X nei boschi della Magliana gli dava diritto, anche dopo la morte del Papa, a ripetere quelle scorrerie che gli consentivano di tornare carico di selvaggina. Per quanto oppresso dai debiti e dalla personale gretteria pecuniaria, l'Ottoboni era un gran maestro nelle cerimonie private e nell'arte delle lusinghe, ma soprattutto gli avevano procurato i favori delle massime Gerarchie della Corte Pontificia i cosciotti di cinghiale cucinati in agrodolce, i fagiani lardellati e rosolati allo spiedo, i petti d'oca infarinati, le quaglie imbottite di fichi, i porri fritti nello strutto, le torte ungaresche e i frutti esotici come datteri e banane.

Ma conservare questi favori era diventato sempre più difficile e dispendioso. Proprio dopo l'elezione del nuovo Papa, ancora assente da Roma, si era avuto un forte rincaro dei "vini navigati" che arrivavano dalla Sicilia e da Creta, a causa dei pirati turchi che infestavano tutto il Mediterraneo. Si era poi scoperto che spesso si trattava di pirati romani travestiti da turchi, ma l'effetto sui prezzi non teneva conto della nazionalità dei predatori.

Le persone che potevano accedere alla sua mensa venivano scelte sempre secondo interesse e in gran segreto dal Cardinale Ottoboni, come se si vergognasse con la Famiglia di quei lussi conviviali, denunciati peraltro dalla sua crescente pinguedine, mentre per la mensa quotidiana della Casa la fornitura di pesce era sempre scarsa e la pesca non tanto fresca. E oltre a ciò il Vivandiere, che si riteneva mal pagato, tratteneva qualche moneta di bronzo a ogni sortita al mercato. Così la Famiglia veniva rifornita con il peggiore vino bianco di Albano, un vino indigesto che procurava alla testa vapori di svagatezza e torpore alle gambe.

Prima ancora del suo arrivo nella Capitale, il Papa fiammingo per voce di un Messo Pontificio aveva intimato ai Cardinali residenti nei Palazzi Vaticani di trovarsi subito un'altra dimora, a eccezione del Cardinale Schinner incaricato delle prime e più urgenti riforme. Questo Schinner era un uomo duro e spigoloso, parlava un latino gutturale che spaventava i suoi interlocutori ed era stato paragonato dai Cardinali residenti a Roma a quei barbari Franchi che si erano infiltrati nell'esercito e nelle istituzioni romane nell'ultimo e infelice periodo dell'Impero. Lo avevano soprannominato l'Eminentissimo Bastone per la rigidità della figura, ma anche perché era arrivato a Roma con funzioni di bastonatore.

E così i Cardinali scacciati dalle loro residenze vaticane si contendevano gli inviti del Cardinale Ottoboni nonostante i pericoli delle strade romane, perché si erano trovati improvvisamente privi non solo dei loro comodi alloggi, ma soprattutto senza le ricche imbandigioni delle cucine vaticane rifornite direttamente dal Prefetto della Dispenseria. Molti di essi avevano dovuto adattarsi a vivere negli alberghi disseminati nella Capitale, non sempre confortevoli e non sempre adeguati alla loro condizione e alle loro esigenze. La Casa del Cardinale Ottoboni era diventata dunque un luogo di ristoro dalla conclamata *iniquitas rerum* e un elegante ritrovo sempre affollato, fonte di informazioni, pettegolezzi e intrighi di ogni sorta.

Il Cardinale della Torre già soffriva per la intraprendenza e i successi del rivale, ma c'era una notizia che, arrivata al suo orecchio, gli aveva provocato lo sgomento più nero. La prima informazione era venuta dal Diacono Baldassarre, il quale gli riferiva ogni voce raccolta per le strade, nei mercati o nell'Osteria delle Palline a Ripa Grande dove andava insieme al Dispensiere per incontrare i mercanti dei vini greci e toscani, del pepe nero e delle altre droghe per la provvigione mensile della Tavola Cardinalizia. La bella Palmira era stata vista una mattina all'alba uscire da una porta secondaria del palazzo del Cardinale Ottoboni alla Dogana Vecchia. Due pescatori avviati al Mercato del Pesce, nonostante lo scialle che le copriva una parte del volto, l'avevano riconosciuta dai capelli rossi e dal passo leggermente claudicante.

Un altro indizio dei presunti erotismi del Cardinale Ottoboni erano le speciali vivande che ordinava ai cucinieri a complemento dei suoi banchetti, ma soprattutto per la sua tavola segreta: crostacei di ogni tipo e le famose "moleche", i granchi senza coccia. Questi crostacei nudi, che si potevano avere solo nella stagione della muta, venivano ormai nominati come "moleche alla Ottoboni" perché da Venezia, luogo d'origine, li aveva introdotti a Roma proprio lui vantandone i poteri afrodisiaci.

Leone X, che non aveva attività amorose di nessuna sorta e detestava tutto ciò che vi facesse riferimento, aveva minacciato di istituire una imposta su questo e su altri cibi afrodisiaci, ma poi tutto era finito in burla. Il Cardinale Ottoboni, dapprima lusingato per aver dato il nome a quella ghiottoneria, era poi caduto in angustie perché i prezzi delle "moleche" a causa del successo erano saliti al cielo.

Nonostante i cibi afrodisiaci, nessuno era mai riuscito ad accertare qualche consistente e veritiera storia amorosa del Cardinale Ottoboni. Solo volanti passaggi notturni, ma senza sovraccarico di sentimenti. Qualche nuova e rumorosa diceria era nata invece il giorno in cui i valletti della sua Casa avevano deposto al centro di una sontuosa tavola imbandita, sotto gli occhi dei numerosi commensali, una statua di donna nuda modellata con bianca pasta di zucchero, adagiata su un vassoio d'argento. Sulla testa e fra le gambe della statua risaltavano due ciuffetti di riccioli rossi che dovevano simulare i capelli e la dantesca "selva oscura", secondo la maliziosa e metaforica interpretazione del Cardinale Ottoboni. Chimera, finzione, metafora e allegoria non erano nuove alla mensa del Cardinale, ma in quella figura di zucchero alcuni commensali avevano voluto riconoscere senza indugi l'immagine della bella Palmira. E allora, da dove provenivano quei sospetti riccioli rossi? Sulla loro provenienza si erano accese animate congetture, anche le più licenziose, tra gli onorevoli convitati di quella serata. Alla fine del banchetto la statua venne divorata pezzo a pezzo dai commensali che se ne contesero le spoglie. Chi addentava una gamba, chi un piede, chi le cosce, le tette, il ventre, la testa, le braccia.

Scomparse dalla tavola anche le ultime briciole della croccante pasta zuccherina, tutti si domandarono dove fossero finiti i due ciuffetti di riccioli rossi. Ormai attribuiti con verosimiglianza alle intimità di Palmira, quei peli rossi e il mistero della loro scomparsa furono oggetto di frenetiche malignità e di altri scabrosi commenti che il Cardinale contribuì ad alimentare, ben sapendo che il migliore condimento della sua mensa era il pettegolezzo. E naturalmente la storia della statuetta di zucchero era arrivata alle orecchie del Cardinale della Torre, che ne fu disperato.

In realtà il primissimo e unico amore del Cardinale Ottoboni, secondo una opinione assai diffusa, era il denaro, e proprio a lui si attribuiva il motto che aveva fatto il giro della Roma pontificia: "Homo sine pecunia imago mortis". Anche la caccia ai benefizi pare non fosse dettata da vanità mondane, ma soprattutto da un rigoroso calcolo monetario.

Il Cardinale della Torre, che invece sospettava una relazione segreta del Cardinale rivale con Palmira, aveva fatto sorvegliare a lungo il palazzo della Dogana Vecchia, ma senza scoprire nulla di concreto dopo quella prima informazione dei pescatori raccolta dal Diacono Baldassarre, e le notizie sulla diatriba dei riccioli rossi.

IV

È possibile mai che un giovane Diacono francescano, che vive in umiltà, che dice le preghiere e osserva tutti i comandamenti salvo qualche torpore estivo e qualche serale pensiero di lussuria, che si confessa ogni settimana e vive nella grazia del Signore Iddio durante la veglia e il sonno, è possibile che sia oggetto e sede di malefizi diabolici? Il Diacono Baldassarre pensava a se stesso ma cercava di sdoppiarsi in una seconda figura per meglio approfondire la stranezza del proprio caso. Gli sembrava in questo modo di poter ragionare con maggiore obiettività e perfino con qualche risoluta saggezza.

Perché mai, si domandava, fino dai primi anni del Convento e via via con sempre maggiore insistenza, come una malattia che peggiora con il tempo, perché mai ogni volta che entrava in una chiesa e si avvicinava al Sacro Tabernacolo veniva assalito da queste crisi di tosse che gli scuotevano il petto e gli annebbiavano gli occhi e la mente? Aveva sentito che i sensi di certe persone vengono alterati dai pollini dei fiori che volano nell'aria in primavera, che altri ancora si mettono a tossire ogni volta che toccano un gatto come se queste innocenti bestiole emanassero qualche fluido malefico. Ma il Santissimo? Quale fluido emanava? E da quali debolezze era afflitto lui povero Diacono che portava quasi per beffa il nome di uno dei Re Magi? Non appena si allontanava dal luogo sacro la tosse smetteva per incanto e il respiro diventava regolare, come aveva sperimentato più di una volta.

Con il passare degli anni questa sensibilità che non aveva osato confessare a nessuno era peggiorata e aveva portato altre inspiegabili molestie in presenza dei sacri luoghi. Ogni volta che passava davanti a una chiesa il povero Diacono veniva preso da crisi di sternuti così insistenti e ripetuti da scuoterlo tutto e da farlo lacrimare abbondantemente. Per un giovane di fede questa era una iattura e un imbarazzo, soprattutto da quando gli sternuti erano arrivati a conoscenza dei suoi confratelli. Ben presto diventarono oggetto di chiacchiere vertiginose che finalmente vennero alle orecchie del Priore del Convento Francescano di via della Scrofa dove il giovane Diacono aveva conservato la propria cella anche dopo l'assunzione come Servitore di Camera presso la Famiglia del Cardinale della Torre.

Era il Priore un vecchio di rigidissima fede e di innominabile avarizia. Pare che avesse rifiutato l'assoluzione e denunciate agli Ufficiali d'Onestà certe dame che si erano presentate al confessionale con lo strascico e che considerasse ogni pittura del viso una offesa a Dio Creatore, il quale non poteva ammettere correzioni alla sua opera. Ma i suoi rigori si esercitavano soprattutto nei confronti dei giovani francescani del Convento di via della Scrofa. I frati pativano la fame oltre i limiti della penitenza e del digiuno, e perfino con qualche rischio per la loro salute. Le celle erano collocate nelle soffitte, infestate dai topi e aperte agli spifferi d'inverno per le porte e le finestre sconnesse, e al caldo torrido d'estate quando si arroventano i coppi del tetto e gli ambienti si trasformano in forni di cottura.

I poveri fraticelli che per l'inverno erano sprovvisti di sufficienti coperture sui rustici pagliericci, durante le giornate torride dell'estate avevano preso l'abitudine di prolungare le preghiere nella cappella del Convento per ristorarsi al fresco del piano terreno. Sembrava quasi che la loro fede si riscaldasse con il calore estivo perché più di una volta il Priore aveva sorpreso i suoi frati raccolti in preghiera in ore che avrebbero dovuto dedicare allo studio nelle loro celle o ai lavori dell'orto di via delle Fornaci. E così aveva fatto chiudere a chiave la cappella nelle ore in cui la preghiera rischiava di diventare un peccato.

Quelle strane voci sul giovane Diacono Baldassarre che prestava servizio presso la Famiglia del Cardinale della Torre erano dunque arrivate alle orecchie del Priore, il quale decise di appurare se avevano un fondamento e nel caso quali provvedimenti prendere. Preferiva, il Priore, agire con la massima segretezza, difficile all'interno di quel Convento di frati chiacchieroni.

Le voci su quella strana anomalia non escludevano l'eventualità che il Demonio si fosse annidato sotto la tonaca del giovane Diacono e che si dovesse procedere a esorcizzarne i maligni spiriti. Ma ancora sperava il Priore che fossero voci di fantasia o di malizia dei compagni, deprecabili certamente, ma meno gravi di una presenza demoniaca in Convento. Aveva dunque voluto camminare nelle strade cittadine insieme al Diacono chiacchierato per verificare in loco e senza testimoni importuni quel fenomeno della tosse e degli sternuti e indagare sullo stato di salute spirituale del giovane frate.

Gli sternuti, si era detto il Priore, non fanno parte dello spirito ma dipendono dal corpo. In altre parole l'anima è indenne dagli sternuti. Da che dipendeva dunque questa strana intolleranza fisica per i luoghi consacrati?

Il Priore e il Diacono Baldassarre presero a camminare in via dei Portoghesi, arrivarono alla Torre della Scimmia, imboccarono la via dei Pianellari ed ecco che il Diacono, passando davanti alla chiesa di Sant'Agostino si era messo a sternutire convulsamente e si era acquietato solo dopo che ebbe, insieme al Priore, superato il luogo consacrato al Santo di Ippona.

Il Priore non aveva fatto commenti e il Diacono era rimasto vergognoso e in silenzio per un bel tratto fino a quando, attraversata la piazza del Circo Agonale e imboccata la via Mellina, si erano trovati a passare davanti alla chiesa germanica di Santa Maria dell'Anima. E qui il Diacono aveva ripreso con gli sternuti.

Percorsero in silenzio la strada di Monte Giordano e via dei Banchi fino a che si trovarono davanti all'antica chiesetta di San Giovanni e il Diacono ancora una volta riprese a sternutire con veemenza.

Si avviarono in direzione del Tevere. Il vecchio Priore aveva solide gambe e uno spirito attento a ogni moto dello spirito.

«Dunque si direbbe che i luoghi santi ti creano uno strano e impetuoso turbamento.»

«Solo alle narici, Monsignore, ma il mio spirito è refrattario a questi disturbi.»

«Come fai a esserne certo?»

«Con il pensiero raziocinante, Monsignore.»

«Il pensiero è debole, soggetto a errori e a sviste né più né meno che i nostri sensi che ci traggono in inganno ogni giorno. Solo sulla fede si può fare affidamento.»

Il Priore fece una pausa, guardò negli occhi il Diacono e aggiunse:

«Quando c'è.»

«Il mio pensiero controlla la mia fede» disse il Diacono con fermezza.

«Ma non controlla gli sternuti davanti ai luoghi consacrati.»

«Riconosco che non sono in grado di dominare i miei sensi così come riesco a controllare la mia fede.»

«Questo significa che non sei padrone di te stesso o quanto meno non sei padrone del tuo corpo.»

«Voi dite bene, Monsignore, ma chi riesce mai a controllare i malesseri o le malattie del corpo? Purtroppo nessuno ci riesce, nemmeno con l'aiuto dei dottori più esperti.»

«Tu pensi veramente che si tratti di un malessere del corpo? Sarebbe un malessere ben strano e incredibile.»

«Che cosa volete intendere, Monsignore? Perché incredibile?»

Il Priore restò muto, guardò in volto il giovane Diacono che arrossì fino al collare della tonaca.

«Non riesci a capire il mio pensiero? Mi conosci bene ormai e dovresti capirmi al volo. Oltre una certa età gli uomini si ripetono. Il loro modo di pensare, i loro vizi e le loro virtù si stabilizzano e diventano facili da intendere anche senza l'aiuto delle parole. Oppure, in questo caso particolare, preferisci non capire?»

«Forse avete indovinato che preferisco non capire.»

«Perché dici indovinato? Io ho un atteggiamento diverso dal tuo, cerco di capire, non di indovinare. Ma ritorniamo al discorso nostro. Sei d'accordo anche tu che i tuoi sensi non obbediscono a te ma a un altro ignoto e infido padrone?»

«Ditemi per favore che cosa intendete per un altro padrone.»

Il Priore deglutì come se volesse ingoiare la parola. Poi si decise.

«Intendo il Demonio. Temo che il Demonio abbia preso dimora nel tuo corpo.»

Il povero Diacono si sforzò di sorridere.

«Il corpo di un frate dovrebbe essere protetto da Dio. Perché il Demonio dovrebbe occuparsi di me?»

«Il Demonio non dorme mai, è sempre attentissimo e pronto a insediarsi là dove trova debolezza di spirito e fede che vacilla.»

«La mia fede non vacilla, Monsignore. Ascolto la Santa Messa ogni mattina nonostante la sofferenza e i disagi che mi procura e dico le preghiere nelle ore stabilite senza mancare mai. Il Demonio dovrebbe trovare tutte le strade sbarrate, e se talvolta sento questo prurito al naso e alla gola, perché dovrei attribuirlo a un intervento del Maligno?»

«Hai detto talvolta, ma devi essere più preciso e dire che questo prurito lo senti in occasioni molto particolari.»

«Per la verità sternutisco quando passo davanti alle chiese, ma anche quando c'è una corrente d'aria. Può darsi che davanti alle chiese ci siano correnti di aria fredda.»

«Anche quando le porte sono chiuse?»

Il Diacono non seppe rispondere alla obiezione del Priore.

«Cerco di capire le ragioni di questo fenomeno. E se fossero i Santi che si offendono perché passo oltre invece di entrare nelle loro chiese?»

«Hai provato a entrare?»

«Ho provato.»

«E sono cessati gli sternuti?»

Il Diacono rimase in silenzio.

«Sono cessati?» domandò ancora il Priore.

«No, non sono cessati, anzi è successo quasi sempre che mi è venuta una tosse forte e sussultoria. Ci sarà una spiegazione, ma io non riesco a trovarla.»

«È la "coincidentia oppositorum", quando i due estremi entrano in contatto si creano turbini aerei che provocano gli sternuti. I due estremi sono il Maligno, Signore dei Regni Infernali, e Dio Onnipotente che sta nei Cieli.»

«La "coincidentia" dovrebbe significare pace, e non turbini aerei come dite voi.»

«Non si può pretendere che Dio e il Demonio possano convivere in pace. Quando si toccano e coincidono nello stesso luogo, e il luogo in questo caso sei tu, qualche turbine si genera per necessità logica e teologica. Lo scontro fra le due Entità avviene quotidianamente. Piccoli scontri, tosse sternuti capogiri vertigini. E grandissimi scontri, carestie terremoti pestilenze guerre eresie.»

«Non capisco l'utilità di questo conflitto quando produce soltanto tosse e sternuti. Allora hanno tempo da perdere sia Dio che il Demonio.»

«Sono piccole azioni di disturbo che rientrano in un conflitto poderoso che dura dal giorno della Creazione.»

«Voi siete un uomo saggio e avveduto, Monsignore, e perciò le vostre parole mi rendono inquieto.»

Il Priore mise una mano sulla spalla del giovane Diacono.

«Non devi preoccuparti perché c'è un rimedio per ogni cosa. Con i mezzi che ci fornisce la Chiesa si può mettere in fuga anche il Demonio, per quanto sia un essere astutissimo e infingardo come ci insegnano i Santi Padri del deserto.»

«Ma siete sicuro che questi sternuti siano opera del Demonio? Io ho letto da qualche parte che chi è posseduto dal Maligno parla con la lingua pendula fuori della bocca, si esprime in diverse lingue sconosciute, fa tremare la terra, produce tuoni, lampi e tempeste marine, sradica gli alberi, sposta una montagna da un luogo all'altro e fa eruttare i vulcani, solleva in aria una casa e poi la precipita al suolo. Vi sembra questo il caso mio?»

Il Priore lo guardò costernato.

«Mi meraviglio che tu possa credere alle sciocchezze che si dicono per attribuire al Demonio facoltà soprannaturali che nemmeno ai Santi che operano in nome di Dio Onnipotente sono concesse. E quanta confusione nasce da queste voci maligne. Anzitutto si sa per certo che i terremoti e i vulcani non vengono mossi dagli indemoniati ma dalla malvagia potenza di Satana che abita il centro della terra. Parlare lingue sconosciute è una facoltà detta glossolalìa o lingua degli Angeli, un dono concesso a pochi privilegiati, come l'Apostolo Paolo, che dice: "Per grazia di Dio io parlo più lingue di tutti voi", ma invita i fedeli che ricevono in dono questa facoltà a farne un uso moderato. Nessuno ha mai detto che sia il Demonio a dispensare questa facoltà angelica. E poi i posseduti dal Demonio non spostano le montagne, non producono lampi e tempeste, ma hanno strani comportamenti come se la fede li avesse abbandonati provocando sintomi di ripugnanza per le Sacre Istituzioni. Ho visto un indemoniato che aveva conati di vomito ogni volta che si avvicinava alla Croce, non solo a quella di Cristo ma perfino ai legni incrociati delle carpenterie.»

«E come è finito?»

«Non è finito, è stato semplicemente liberato dal Demonio.»

«Come? Posso sapere in quale modo e con quali mezzi?»

«Mi meraviglio che tu mi faccia questa domanda. Sai pure che esistono gli esorcisti.»

«Ogni vostra parola mi preoccupa, Monsignore.»

«Non devi preoccuparti. Chiameremo un esorcista, anzitutto per chiedere il suo parere. Poi si prenderà una decisione per l'intervento.»

«Ho sentito che gli esorcisti cavano fuori dalla gola degli indemoniati rottami e oggetti strani come catene e altri ferri e una quantità di chiodi, di vetri e di cocci rotti. Io non sento nessun peso sullo stomaco se non quando alla mensa ci passano le lumache o i peperoni.»

«Io non sono un esperto in demonologia ma, nel caso che uno spirito maligno abbia preso possesso del tuo corpo, e questo ce lo potrà dire solo un esorcista, si tratta di vedere anzitutto a quale categoria appartiene. Dovresti sapere anche tu che i demoni sono di variegate specie sia secondo Dionigi Aeropagita che secondo Michele Psello. Per ambedue si tratta di esseri decaduti per scelta del loro libero arbitrio, ma Psello a differenza dell'Aeropagita li classifica secondo le teorie neoplatoniche che vengono tacitamente accettate dalla maggioranza degli esorcisti. I demoni più alti, i "leoluria", splendenti e perversi abitatori dell'etere vestiti di piume dorate, o gli "aeria", terribilissimi demoni mangiatori d'aria, stimolano figure e visioni nella nostra mente, ma non mi risulta che possano manipolare chiodi e cocci, proprio per la loro natura eterea. Semmai portano con sé questi oggetti triviali i demoni "ctonia" che vivono sulla crosta terrestre, o quelli "ipoctonia" che abitano nelle viscere della terra ma che anelano a risalire in superficie e sciamano per ogni dove provocando molte confusioni tra gli uomini. Si tratta insomma di una materia complessa per cui penso sia conveniente rivolgersi a un esperto esorcista.»

Il Diacono ascoltò le parole del Priore senza replicare. Arrivati sulla sponda del Tevere, il Priore prese la via del ritorno imboccando la via di Tor Sanguigna. A un tratto si fermò pensoso a guardare il giovane Diacono che si agitava sotto la tonaca.

«Che c'è adesso?»

«Quando si verrà a sapere che sono andato per le mani di un esorcista tutti mi eviteranno come un appestato.»

«Preferisci dunque ospitare dentro di te un Demonio? O pensi di tenerti lontano per sempre dai luoghi di preghiera?»

«Non si potrebbe aspettare qualche tempo per vedere se questo malanno si allontana da per se stesso?»

«Si può aspettare, se preferisci, oppure si possono fare le cose con discrezione, senza metterle sulla piazza.»

«Questo che dite mi dà qualche conforto, ma non sono tranquillo. Temo per la mia reputazione.»

Il Priore indirizzò i passi verso il Convento seguito dal Diacono che, davanti all'ingresso di San Salvatore in Lauro, di nuovo riprese a sternutire con furia fino a quando non si furono allontanati dalla chiesa.

Il Priore non fece commenti. Si avviarono verso via della Scrofa a lento passo distogliendo gli occhi dai mendicanti, ciechi, storpi e vagabondi che sostavano sui gradini delle case e agli angoli ombrosi delle strade, ben sapendo che gran parte di essi lavoravano di trucco e travestimento a farsi ciechi, gobbi o piagati.

Questi mendicanti si erano addirittura organizzati in sinistre confraternite come quelle degli Sbasciti, dei Pitoccanti, dei Buratti, dei Pezzenti e dei Roscioni che eleggevano loro funzionari e capi. Da parte della Chiesa si erano levati lamenti per questa infamia che arrivava fin dentro i luoghi di culto durante le funzioni dove questi miserabili emettevano i loro gemiti e gridi stornando i fedeli allorché erano intenti ai divini offici, eccitando rumore e querele. Si rimproverava inoltre l'astuzia di quelli che col simulare malattie o con mentita indigenza, unicamente dovute alla loro ignavia e infingardaggine, tolgono gli alimenti ai veri infermi e ai veri indigenti: e dopo che con arte infame, furbesca e frodolenta hanno simulato malanni, ricuperano ben tosto una gagliarda sanità per darsi in braccio ai giuochi, alle gozzoviglie e ad altri vietati piaceri.

Una volta il Priore aveva detto che anche i trucchi di malattia e storpiezza sollecitano pietà e commiserazione, ma ora il suo sguardo indifferente sembrava smentire quella generosa affermazione. Biascicava sottovoce parole incomprensibili, forse preghiere o forse biasimi per quei simulatori.

Il Diacono Baldassarre camminava al suo fianco senza pensieri, o meglio evitando di pensare, seguendo i propri passi e calpestando le pietre antiche della pazienza romana. Dai cortili delle case arrivavano i latrati dei cani, coperti a tratti dallo sferragliare dei carri che portavano le merci nei magazzini delle Coppelle e di Campo de' Fiori, condotti da carradori armati di ferro per far fronte al duro imperio delle brigaterie e allo accapitar male dentro lo stato vituperevole e tumultuoso de la città.

Secondo quadro

Il Cardinale Adriano di Tortosa aveva accolto con visibile turbamento e quasi con disappunto la notizia della sua elezione a
Pontefice, anche se da varie parti si mormorava che quel suo atteggiamento era solo finzione e ipocrisia senza sale. La lettera
inviata da Carlo V ai Cardinali che lo avevano eletto fu invece
redatta con parole di entusiasmo che avevano allarmato i porporati di parte francese. Infine le felicitazioni verbali dirette al
Sacro Collegio dal Messo Imperiale Lope Hurtado de Mendoza
avevano aggravato le perplessità di tutti i Cardinali che si sentivano al centro di una sempre più accesa competizione politica.

La voce messa in giro fra i porporati che il nuovo eletto nel
frattempo fosse morto segretamente, secondo il suo costume di
estrema riservatezza, e che perciò si dovesse procedere a una
nuova elezione, sembrava offrire lo spiraglio di una pacificazione in extremis, ma in realtà contribuì ad aumentare la confusione che già regnava nella Curia Romana. Da parte sua il nuovo
Pontefice, vivo e vitale a dispetto delle maligne voci, aveva
scritto a Enrico VIII d'Inghilterra nel febbraio del 1522, subito
dopo la notizia della sua elezione: "Non ho desiderato l'elezione; le mie forze non bastano e rifiuterei la Tiara se non temessi
di offendere Dio e la Chiesa". Nelle mani del Nunzio del Sacro
Collegio Antonio de Studillo, che gli aveva portato la notizia
ufficiale della sua elezione, depose una lettera indirizzata ai
Cardinali nella quale affermava che per riguardo alla loro autorità accettava l'elezione, ma che non si sentiva idoneo all'impe-

gno e che avrebbe volentieri rifiutato se la fede in Dio non lo avesse sollevato da tale peso. Da questi e da altri indizi si diffuse la voce che il nuovo Pontefice Adriano VI credeva in Dio.

Arrivò finalmente a Roma la notizia della sua prossima partenza non appena fossero giunti a Tortosa i Legati e si fosse apprestata la flotta. Ma da Roma i Legati ancora non si erano mossi e il loro viaggio veniva differito di settimana in settimana per mancanza di denaro, per la difficoltà di procurarsi le navi, ma forse anche per lo stato di incertezza che l'elezione aveva prodotto negli stessi elettori. Alla fine i tre Cardinali che governavano provvisoriamente lo Stato della Chiesa in assenza del Pontefice si decisero a vendere le mitre e le tiare del Tesoro Pontificio. Era un grave sacrificio che aveva suscitato l'opposizione di alcuni porporati i quali ritenevano un simile commercio disdicevole per il prestigio della Chiesa e un'oltraggio alla sua tradizione. Ma in quella occasione si scoprì che le pietre preziose della Tiara di Paolo II erano state rubate e sostituite con pietre false.

Il nuovo Pontefice aveva comunque deciso di partire alla volta di Roma, ma non aveva i mezzi sufficienti per procurarsi una flotta e uomini d'arme per difendersi da eventuali assalti dei pirati turchi che infestavano il Tirreno. Si decise a fare intanto un primo tratto per via di terra e il 12 marzo percorse in carrozza la valle dell'Ebro passando per San Domingo e Logroño, e il 29 dello stesso mese arrivò a Saragozza. Ma la comparsa della peste in questa città e a Barcellona, dove avrebbe dovuto imbarcarsi, lo costrinse a cercare un altro porto da cui intraprendere il viaggio in mare.

Nonostante questi ritardi, il Pontefice non esitò a esercitare il suo magistero da lontano per voce di Giovanni Winkler, suo fidato messaggero. In attesa del suo arrivo i Cardinali non avrebbero dovuto in alcun modo vendere, concedere o impegnare i benefizi vacanti che dovevano rimanere tutti a sua disposizione. Nelle nuove regole, pubblicate dalla Cancelleria Apostolica per suo ordine, erano comprese varie restrizioni da applicare ai privilegi cardinalizi. In particolare vennero abolite, salvo i casi di necessità urgente, le facoltà nominandi, reservandi, commendandi concesse dai suoi predecessori, e proibita la vendita degli uffizi curiali, e le concessioni connesse, da parte del Collegio Cardinalizio durante i mesi di Sede vacante. Una serie di altre più minute restrizioni dettate da Giovanni Winkler a nome del Pontefice vennero comunicate dagli Uffici della Cancelleria e furono oggetto di aspri commenti e di non lieve disagio da parte dei porporati residenti a Roma. I quali lamentavano che il Papa si sentisse investito da Dio mentre era stato eletto dai Cardinali.

Finalmente ai primi di giugno il Papa notificò al Sacro Collegio che gli impedimenti pratici erano superati e che si apprestava a intraprendere il viaggio: "Habemus parata omnia, que ad navigationem nostram necessaria sunt et intra paucos dies, adiuvante Domino, velificaturi sumus" scriveva in un latino frettoloso ma chiaro, che entro pochi giorni si sarebbero dispiegate le vele.

Il giorno 8 di luglio, nonostante la calura, il Papa salì a bordo della galera decorata con una tenda di velluto cremisi e stemma, ancorata nel porto di Ampolla nelle vicinanze di Tortosa. L'imbarco avvenne così d'improvviso che il seguito arrivò alla spicciolata e fu al completo solo a tarda notte. Ma a causa del vento sfavorevole fu possibile salpare per Tarragona solo il 10 di luglio. Poi si ebbe un altro ritardo perché ancora non erano pronte tutte le navi. Solo la sera del 5 agosto la flotta prese il largo senza preavviso perché, per prudenza, l'ora della partenza era stata tenuta segreta.

Duemila soldati erano imbarcati sulle navi che scortavano la galera papale. Insieme a Adriano VI partirono il Cardinale Cesarini, rappresentante del Sacro Collegio, e Lope Hurtado de Mendoza in rappresentanza dell'Imperatore Carlo V con il quale il Papa aveva evitato di incontrarsi come gli era stato richiesto, adducendo a pretesto il gran caldo che avrebbe affaticato ambedue e l'intenzione di non rinviare oltre la sua partenza per Roma già differita varie volte.

V

Palmira abitava in una stanzetta tutta buchi e spifferi al Pozzo Bianco, luogo di malaffare ma vantaggiosamente vicino alle strade della finanza perché lì dietro, nel Rione dei Banchi, avevano i loro uffici i banchieri fiorentini e genovesi dove si faceva gran traffico di ducati fiorini carlini giulii e baiocchi. Nelle cantine del Rione in gran segreto i tonsori lavoravano a limare l'oro e l'argento delle monete a rischio della forca. Ma i pallidi tonsori delle cantine venivano spregiati da Palmira.

«Piuttosto un brigante che un tonsore di monete» diceva alle amiche che ogni tanto le offrivano di scendere con loro negli anfratti segreti della tonsura.

Con il bel mondo della finanza Palmira non aveva avuto fortuna. Veniva richiesta ogni tanto per qualche passaggio notturno, ma non aveva mai trovato un protettore di buona sostanza e discreta figura come desiderava, e aveva dovuto accontentarsi di un anziano notaro di Siena, troppo risicato per la sua bellezza esigente e fantasiosa. Palmira pretendeva passeggiare di notte alla luce di una candela, tuffarsi nel Tevere nelle ore della calura o camminare scalza nella via dei Banchi, e un giorno si era presentata a un incontro con il vecchio notaro a cavalcioni di una mula con la pretesa di far salire anche lui. Lo sventurato non aveva retto alle sue scalmane e alla fine aveva preferito rinunciare.

Dopo il notaro senese Palmira aveva incontrato un giovane faccendiere al servizio dei banchieri Altoviti, scarmigliato giovanotto di torbide speranze, già allenato ai traffici di prestito a usura e ai cambi delle monete. L'avrebbe presa a vivere con sé, ma dovettero fare i conti con un simmetrico difetto che li aveva messi fin dai primi giorni in qualche imbarazzo. Essendo ambedue leggermente claudicanti, il camminare insieme nelle strade sortiva un effetto così male concertato da provocare l'attenzione dei passanti o, peggio, i rumorosi dileggi dei ragazzacci e gli sguardi beffardi dei conoscenti.

Finalmente una sera Palmira venne reclutata per un ballo in maschera nel grandioso e severo palazzo che il Cardinale Riario aveva edificato nei pressi di Campo de' Fiori usando per la fabbrica le grandi pietre del Colosseo raccattate all'intorno dai suoi operai. Dietro quelle mura severe di antichi travertini si consumavano tutti i peccati capitali e un repertorio di vizi innominabili. Così si mormorava senza certezze perché pochi erano i privilegiati ammessi a quelle riunioni. Alle feste e ai pranzi, sia nudi che mascherati, il circolo degli invitati era invece assai più generoso. Qui Palmira aveva incontrato, travestito da Diavolo, tutto nero ma con la coda e i corni rossi sulla fronte, il Cardinale Cosimo Rolando della Torre.

Palmira aveva il viso coperto da una maschera che riproduceva le sue stesse sembianze, una parrucca di lunghissimi capelli neri come Maria Maddalena e una veste tutta strappi e rattoppi che lasciavano travedere una carnagione chiara e ardente. Si erano riconosciuti guardandosi negli occhi dietro le mascherature.

«Dio mio, sei diventato Cardinale» aveva esclamato Palmira che aveva intravisto la porpora sotto il manto nero, «e ti sei mascherato da Diavolo.»

«Cardinale fa rima con carnevale e perciò ogni scherzo vale. Ma quale occasione fantastica per un Diavolo incontrare Maria Maddalena peccatrice e Santa.»

Il Diavolo e Maria Maddalena avevano ballato per tutta la notte e all'alba il Diavolo aveva rapito sulla sua carrozza cardinalizia la bella claudicante e l'aveva portata nella sua prima Casa di via Monte della Farina.

Si erano amati furiosamente, proprio come un diavolo e una Santa peccatrice. Alla fine Palmira gli aveva fatto tante domande, quanti mai peccati aveva commesso da quando si erano conosciuti troppi anni prima, quali amori e avventure, voleva capire anche come si diventa Cardinale.

«Ti ricordi quando dispregiavi i Cardinali?»

Per favore gli raccontasse qualcosa della sua vita, ma senza ingombro di pensieri astrusi. La nuda vita insomma.

«E tu ce l'hai una vita da raccontare?» aveva domandato Cosimo Rolando. «Forse vuoi cominciare tu, le donne parlano sempre volentieri.»

Lei si era messa a piangere, non aveva proprio niente da raccontare, niente di buono.

«Voglio dimenticare il passato, non pensarci più.»

«Il passato non finisce mai» disse Cosimo Rolando.

«Non capisco che cosa vuoi dire, ma non sono d'accordo.»

«Allora ti racconterò io qualcosa della mia vita e nel mio racconto ci sarai dentro anche tu perché, qualunque cosa succeda, dovunque vadano a finire i tuoi e i miei sentimenti, niente potrà scancellare i ricordi che ormai sono stampati nella mia memoria. Pensare confonde le idee, ma raccontare le chiarisce.»

E così, per tutta la notte, Cosimo Rolando della Torre, Cardinale nudo, Diavolo-Cardinale innamorato, aveva continuato a raccontare la sua storia a Palmira nominandola e nominando se stesso come se parlasse di un estraneo a una estranea.

Cosimo Rolando aveva indossato da ragazzo la tonaca nera della Chiesa Romana, ma non si contentava di diventare un semplice ministro di Dio come i suoi compagni di vocazione. Se si sceglie una strada bisogna percorrerla fino in fondo e di corsa per raggiungere la vetta: voleva diventare Santo. Nei suoi sogni vedeva la propria immagine già alta sugli altari e schiere di devoti accendere candele e raccomandarsi alle sue miracolose facoltà di guaritore celeste. Ma il suo desiderio segreto era quello di fare dei miracoli da vivo.

Più di una volta il giovane prete aveva visitato malati di tutte le malattie, posato le mani sulle palpebre di poveri ciechi nella speranza di ridargli la vista, aveva preso per mano degli storpi sperando che si raddrizzassero, aveva soffiato in bocca a dei muti perché parlassero. Ogni volta confidava che il suo contatto portasse la guarigione a quegli infelici. Gli sarebbe bastato un piccolo caso di guarigione, un segnale minimo della benevolenza di Dio. Niente, sembrava proprio che Dio in nessun modo volesse esaudire il suo desiderio. Cosimo Rolando cominciò a spazientirsi. Che cosa sarebbe costato a Dio concedergli un miracolo, anche piccolo? Una guarigione subitanea, non importa da quale malanno. Ma il Cielo si era sempre mantenuto orribilmente sordo ai suoi desideri.

Un giorno Cosimo Rolando si era sorpreso a bestemmiare sottovoce per la cattiva sorte che toccava alla sua ambizione. Ma nella insistenza e nella vana disperazione si era accorto che queste bestemmie gli davano sollievo e liberavano il suo animo dalla pena del fallimento. Nella confusione di quei giorni di risentimento e di ira, non aveva ancora rinunciato del tutto alla gloria degli altari. Ma come può avere speranza di santità o beatitudine celeste un prete che bestemmia? Come era caduto in quella atroce contraddizione? Si disse che anche i Santi possono commettere dei peccati e che forse il peccato è proprio la strada maestra per la quale si arriva alla santità. Ma ogni bestemmia è anche un insulto a Dio che ne rimarrà offeso. Le bestemmie arrivano in Cielo crepitando e risvegliano Dio dai suoi lunghi sonni e scatenano la sua ira. O la sua pietà?

Questi erano i confusi pensieri di Cosimo Rolando della Torre, già nominato, per intervento della famiglia, Cantore del Duomo di Firenze e Diacono di Pontassieve. Si domandava l'infelice Cosimo Rolando come questi pensieri potessero conciliarsi con il ministero da esercitare al servizio della Santa Romana Chiesa. E la fede? Non dovrebbe essere la fede una fiamma che anima la vocazione religiosa? Così aveva letto nei libri e così gli avevano insegnato nelle scuole. Si disse che lui di fede ne aveva avuta ad abundantiam, ma che forse troppo in alto aveva collocato le sue ambizioni. Cosimo Rolando cominciò a mirare al basso e accettò con una allegria che aveva sorpreso lui stesso gli interventi del padre che gli aveva fatto avere i primi sostanziosi benefizi.

Da allora più di una volta si era scontrato con il Cardinale Ottoboni, veloce e agguerrito cacciatore di prebende. La fede era stata accantonata, non negata ma dimenticata come un fardello troppo ingombrante e oneroso. Ma sì, Dio era lassù, altissimo nel Cielo, ma così come non lo aveva ascoltato nelle sue immaginazioni di santità, ora non si opponeva all'accumulo dei benefizi, ostacolato solo da un rivale più abile e più astuto di lui.

Cosimo Rolando si era appena insediato in un dignitoso palazzetto in via Monte della Farina e cercava faticosamente di orientarsi nell'intricata selva delle gerarchie romane, quando si accorse che aveva difficoltà ad allargare i propri orizzonti "in spiritualibus" e soprattutto "in temporalibus" con i prelati che arrivavano a Roma dai paesi del Nord, francesi tedeschi polacchi inglesi fiamminghi, di cui non conosceva i difficili idiomi. Non era portato allo studio delle lingue e perciò aveva deciso di perfezionare il suo latino per l'uso della conversazione mondana e degli affari di casa e di chiesa.

Un pomeriggio di calura soffocante, dopo un acquazzone che aveva lasciato sulle strade e sulle cose un velo di gialla polvere africana, Cosimo Rolando si era messo a passeggiare per le vigne che costeggiavano il Tevere parlando da solo in latino, domande e risposte, monologhi, aneddoti, schermaglie polemiche, religione e affari, brani della saggezza laica di Seneca e Marco Aurelio. Il sole vicino al tramonto illuminava i grappoli d'uva di un bell'oro trasparente e le foglie che già si coloravano del rosso autunnale. Sulla terra ricamata dalle ombre dei tralci, l'aria stagnante e umida per la vicinanza del fiume appesantiva i passi di Cosimo Rolando che continuava a snocciolare la sua parlata mondana. Dopo una estenuante diatriba sui malanni dello Stato Pontificio, si era impegnato a discutere con un interlocutore immaginario le Novantacinque Tesi di Lutero la cui voce di sovversione aveva ormai superato le frontiere dei paesi germanici e turbava l'arduo magistero della Chiesa di Roma.

A un certo momento del suo cammino Cosimo Rolando si era trovato dentro una vigna chiusa da alti steccati, senza via d'uscita se non quella di superare un fossatello di confine. I colori caldi e pomposi del mondo avevano predisposto il suo animo alla stanchezza e alla malinconia, uno strano languore terrestre lo aveva indotto a sedersi sotto l'ombra di un filare e forse per la prima volta nella sua vita si era abbandonato al piacere di osservare da vicino la natura che aveva trascurato negli anni febbrili della desiderata santità, della delusione e infine della corsa ai beni mondani. Ciò che si presentava ora davanti ai suoi occhi, la natura trionfante della fertilità, era opera di un Dio distratto ed egoista che lo aveva umiliato nelle sue sante ambizioni. Ma lui stesso non faceva parte della natura? Non era anche lui opera della mano di Dio? Cosimo Rolando smise di masticare quel latino vischioso imposto dal suo cuore analitico e stava per assopirsi, quasi volesse negare per dispetto la bellezza delle opere di Dio, quando sentì qualcosa, un singhiozzo, un gemito infantile, il segno di una presenza umana. Si alzò e attraversò il fossatello dirigendosi verso quella voce sommessa.

Cosimo Rolando si era sorpreso ad ammirare per la prima volta nella sua vita la bellezza della natura e ora doveva cedere ancora a una nuova bellezza. Si era dimenticato per anni che esistono le donne e qui aveva trovato, accoccolata all'ombra di una vite, una ragazza con i lunghi capelli rossi che le coprivano il viso, scossa dai singhiozzi, le mani avvolte intorno alle ginocchia. Si disse che Dio e i Santi del Cielo avevano predisposto questo incontro e perciò era suo dovere soccorrere quella infelice.

Un sentimento di languore lo percorse in tutta la vita, proprio simile ai languori che avevano turbato gli anni della sua giovinezza quando sperava di meritarsi con qualche prodigio la gloria degli altari. Cosimo Rolando si inginocchiò vicino alla ragazza piangente e dimenticò subito le faticose sintassi latine che lo avevano occupato durante la sua passeggiata. Le scoprì il volto lentigginoso nascosto dai lunghi capelli e vide nei suoi occhi arrossati dal pianto una luce che gli riempì l'animo di sgomento e di felicità.

Mentre lei piangeva i suoi occhi gli sorridevano. Era anche questo un miracolo della natura, e nel profondo dell'animo ringraziò l'Onnipotente di questa inaspettata grazia che gli concedeva.

Questa, e non la gloria degli altari, era l'immagine del desiderio felice in armonia con la felicità della natura, con il sole, con l'uva matura della vigna, con le foglie immobili nella luce vibrante del pomeriggio. Le prese una mano e l'aiutò a sollevarsi. La ragazza si alzò in piedi, lo guardò negli occhi e gli sorrise mentre il volto era ancora rigato di lacrime, lo guardò ancora con gratitudine, poi gli si avvicinò e pose le labbra sulle sue. Si baciarono in piedi, al sole, mentre le loro ombre si specchiavano sulla superficie del fiume.

Costeggiarono il Tevere lungo i sentieri che attraversavano le vigne in direzione di Ponte Sant'Angelo. Le loro ombre si proiettavano lunghe sulla terra, si arrampicavano sugli alberi, giocavano tra i cespugli di salice selvatico, tremolavano sulla superficie dell'acqua. Cosimo Rolando indicò alla ragazza le due ombre vicine, la abbracciò e anche le ombre si abbracciarono, la prese per mano e anche le ombre si presero per mano, camminarono fino al Ponte e le loro ombre li precedettero per tutto il loro cammino amoroso. No, non poteva essere peccato quel bacio. Può essere peccato l'amore fra due creature di Dio?

Cosimo Rolando si era accorto, camminando verso la sua Casa, che la ragazza zoppicava leggermente.

«Hai male a un piede?»

«No, sono zoppa.»

Cosimo Rolando le sorrise con imbarazzo.

«Ti posso aiutare?»

«Solo se sai fare i miracoli, altrimenti non potrai raddrizzarmi. Sono zoppa e basta.»

A sentire parlare di miracoli un brivido percorse la memoria di Cosimo Rolando. Ma si riprese subito.

«Perché piangevi?»

«Ma perché sono zoppa! Ero disperata, mi succede ogni tanto, ma adesso lo sono un po' meno.»

Salirono lentamente la sponda del Tevere, passarono sul Ponte Sant'Angelo, percorsero in silenzio la strada dei Banchi e poi il Foro Oleario.

«Dove andiamo?» domandò la ragazza.

«Dove vuoi tu, il mondo è grande.»

«Mi stai portando nella tua casa?»

«Come lo hai indovinato?»

La ragazza scoppiò a ridere.

«Prima piangevo e adesso rido.»

«È una buona cosa.»

«Ma non hai capito che io sono un fantasma? Tu non puoi invitare un fantasma nella tua casa.»

Cosimo Rolando la guardò sorpreso.

«Finirò per innamorarmi di un fantasma. Tutto può succedere sotto il cielo.»

«Tu sei un prete. Come può succedere una cosa simile?»

«Gesù ha predicato l'amore.»

«Gesù ne ha dette tante. Ha detto anche andate per il mondo e moltiplicatevi. Ha detto così ma io non voglio moltiplicare la mia tristezza.»

Cosimo Rolando sorrise appena. Erano arrivati davanti al suo palazzetto in via Monte della Farina. Il Frate Portinaio fece un inchino e i due entrarono avviandosi lentamente su per le scale. Una bella aria fresca nella Casa protetta dai grossi muri di pietra ridette energia a Cosimo Rolando, spossato dopo quella passeggiata così emozionante. Nel suo studio si fermarono davanti alla finestra a guardare il cielo tutto rosso dietro Castel Sant'Angelo, arrossati anche loro da quella luce di fiamma.

«Così rosso sembri un Diavolo» disse la ragazza.

«Ma no, sono un prete.»

«Dovresti levarti la tonaca. Adesso sei un prete, ma senza la tonaca sarai un uomo. Quando un uomo è nudo non si sa più se è un prete, un soldato o un mercante, se è ricco o povero. È un uomo e basta.»

Cosimo Rolando la guardò perplesso.

«Voglio vederti nudo.»

«Come faccio a spogliarmi se non so nemmeno come ti chiami?»

«Mi chiamo Palmira.»

Cosimo Rolando non sapeva che cosa fare. Stava lì in piedi impacciato e senza parole.

La ragazza provvide subito a toglierlo d'imbarazzo. Cominciò a spogliarsi.

«Non c'è una camera con un letto?»

Cosimo Rolando la prese per mano e la condusse nella sua camera.

«Perché hai detto che sei un fantasma?»

«Così, per ridere. Me lo ha detto un Cantore libidinoso di San Salvatore in Lauro. Voleva che facessi la capra dietro l'altare e io ho detto di no, che a quei giochi non ci stavo. Se lui voleva fare il caprone che si trovasse un'altra. Allora mi ha detto che ero un fantasma e io gli ho creduto.»

«Bisogna punire i Cantori libidinosi che confondono le ragazze con le loro fantasie. Bisogna punire i

Cantori, gli astrologi e i poeti. Sono esseri inutili e arroganti. Forse anche i Santi sono inutili.»

«Io di Santi non ne conosco, si diventa Santi solo dopo morti. Pensa che diavoleria, un Santo non sa di esserlo, non si gode la sua santità. Il Papa almeno sa di essere Papa ed è contento. Un Cardinale lo stesso, ma forse gode un po' meno di un Papa.»

«Io credo che la vita dei Cardinali sia piena di fumi e di vanità. Ma forse proprio i fumi e le vanità sono il centro della vita per un Cardinale.»

«Ma quali fumi? Oggi c'è il sole» disse la ragazza.

«Il sole è nell'aria, ma nelle teste dei Cardinali ci sono molti fumi.»

«Perché dici così?»

«Perché a Roma la vita è diventata difficile per colpa dei Cardinali che fanno una gran confusione sotto il cielo con i loro privilegi e la loro arroganza.»

«Tu dispregi i Cardinali, ma io ho sentito dire che tutto quello che succede a Roma è colpa del Papa.»

«Chi lo dice?»

«Lo dicono tutti.»

«Il Papa rappresenta Dio in Terra e anche se si chiama Leone è debole, malato e oppresso dai debiti. Purtroppo Dio si occupa più del Cielo che della Terra, e ha molto da fare.»

«E così a Roma c'è un gran bordello. Ma forse a Dio gli piace così.»

«Non so se bordello è la parola giusta. Tu sei molto giovane e tante cose non le puoi capire.»

«Io sono giovane e un po' puttana. Capisco molte cose, come tutte le puttane.»

Cosimo Rolando rimase interdetto, ma il suo animo sorrideva.

«L'amore è un dono di Dio a tutto il mondo creato, compreso l'amore mercenario. Nella Bibbia si legge che il profeta Osea, ispirato da Dio, sposò una prostituta.»

«Veramente Dio gli ha consigliato di sposare una puttana? È matto?»

«Così dice la Bibbia.»

«Poveretto. E come gli è andata?»

«Osea sperava di redimerla e pensava che il matrimonio con un uomo puro come lui l'avrebbe convinta a correggere la sua vita. Invece lei continuò a fare la prostituta, e lui la abbandonò.»

«Allora Dio gli aveva dato un consiglio balordo. Ma non hai detto che questo Osea era un Profeta?»

«Osea era un Profeta.»

«E non sapeva quello che gli sarebbe successo?»

«I Profeti guardano lontano nel futuro.»

«Allora questa storia è già successa o deve ancora succedere?»

«Forse succederà ancora.»

«Può succedere anche a noi?» domandò Palmira.

«Io non sono un Profeta.»

«Ma io sono un po' puttana come la moglie di Osea.»

«Quella è una storia della Bibbia. Noi ne siamo fuori.»

«Meglio così.»

«Non mi hai lasciato finire. Un certo giorno Osea si accorse che non riusciva a vivere senza di lei, se la riprese e la portò nel deserto. Così non avrebbe avuto altri amanti. E infatti nel deserto vissero felici.»

«Io però nel deserto non ci vengo.»

«Nemmeno io ho la vocazione per il deserto.»

«Ce ne stiamo a Roma, vero?»

«Sì, ma io non posso sposarti. Osea era un uomo libero, io no. I Cardinali possono permettersi tutto, io invece mi posso concedere solo qualche peccato ogni tanto.»

«Tu sei un prete. Non possiamo sposarci ma possiamo andare a letto insieme.»

VI

Fu in quei giorni, dopo il ballo mascherato nel palazzo del Cardinale Riario e il lungo racconto che aveva rievocato il loro primo incontro, che Cosimo Rolando ebbe da Palmira la conferma di un inquietante sospetto, che per anni aveva preteso di nascondere perfino a se stesso.

«Lo sai che hai una faccia strana?» gli disse una mattina la giovane donna ancora intorpidita dal sonno e dagli amori della notte.

«Qualcuno dice che ho una faccia di bronzo. Conosci questa espressione?»

«No no, intendo dire un'altra cosa.»

Palmira lo prese per il mento e lo fece voltare da una parte e poi dall'altra, due o tre volte.

«La barba ti nasconde un po', ma si direbbe che da una parte hai una espressione e dall'altra una espressione un po' diversa. Come se fossero due persone.»

«Gli uomini sono terribili, e ambigui.»

«Tu sei terribile solo da questa parte» e indicò il lato sinistro del volto.

Cosimo Rolando si sforzò di sorridere. Ma a Palmira parve che sorridesse solo da una parte.

«Che stranezza.»

«Che cosa c'è?»

«Sembra che sorridi solo da una parte. Non te ne sei mai accorto? Come se avessi la faccia divisa in due.»

«Le regole della convivenza e dell'educazione sono una solenne vanità alla quale più o meno ci adattiamo. Io mi ci adatto solo per metà. Può essere una spiegazione.»

«Allora lo sapevi.»

«Nessuno me lo ha detto mai. Forse è solo una tua o una mia impressione.»

«Le donne sono terribili, si accorgono di tutto» disse Palmira. «E una donna innamorata è ancora più terribile.»

Cosimo Rolando la strinse a sé per farla tacere.

«Anche la barba secondo me nasconde i pensieri» disse Palmira mentre il Cardinale ancora la stringeva fra le braccia. «Già quando ti ho conosciuto facevo fatica a capire i tuoi pensieri dietro a tutti questi peli. Le parole e i peli mi sconfondono.»

«E se ti dicessi che anch'io qualche volta ho difficoltà a capire che cosa penso? Devo concentrarmi per sapere in che direzione vanno i miei pensieri.»

Palmira si liberò dall'abbraccio.

«Lo sai che se ti guardo da questa parte quasi non ti riconosco?»

«E dall'altra?»

«Dall'altra parte mi piaci e ti voglio bene.»

«Allora mi vuoi bene solo a metà. Anche tu sei un po' buona e un po' cattiva.»

«Sì, ma non si vede.»

«Tutti siamo divisi in due. Nel mondo c'è Dio e

c'è il Diavolo e per chi non crede a queste Entità diciamo che c'è il bene e c'è il male, distribuiti e diffusi per ogni dove.»

«Insomma non sei preoccupato.»

«Perché dovrei esserlo? È talmente comune questa doppiezza che nessuno se ne accorge, oppure finge di non accorgersene, che è la stessa cosa.»

Palmira si avvicinò a un grande specchio appeso alla parete.

«Sei vanitoso? Che cosa cerchi in questo specchio? C'è gente che ci passerebbe la vita davanti a uno specchio. Donne, uomini e preti.»

«I preti non sono uomini, secondo te?»

«Mica tutti.»

«Gli specchi servono solo a controllare le apparenze, le così dette buone maniere che ci insegnano a fingere e ci aiutano a vivere. Il mercato delle apparenze, o se preferisci delle buone maniere, non subisce mai ribassi. Un gesto, una parola, un sorriso sono monete che non deperiscono perché ci aiutano a recitare la nostra commedia quotidiana.»

«Mi sconfondi con questi discorsi, faccio fatica a tenerti dietro quando parli.»

«In questo momento sei tu il mio specchio. L'immagine che mi restituisci tu corrisponde ai miei sentimenti e quindi fa parte della mia vita, non delle apparenze.»

«La vita, le apparenze. Io non capisco a che cosa servono queste diversità, però mi ricordo che avevi un aspetto da Cardinale anche prima di esserlo. Sono queste le apparenze? Tu sei furbo e capisci tante cose.»

«Furbo? Hai detto che sono furbo?»

«E che, ti sei offeso? È un gran complimento, sai? Se uno è diventato Cardinale è furbo per forza. E il Papa secondo me è furbissimo.»

«Sarò furbo» disse Cosimo Rolando «ma con te sono soltanto sincero, spero che lo avrai capito.»

«Forse è per questo che faccio fatica a capire. Non ci sono abituata alla sincerità.»

Il Cardinale abbassò lo sguardo per fare una confidenza che era anche una confessione.

«C'è sempre una metà di noi che preferiamo nascondere.»

«Io non voglio nascondere niente.»

«Se vuoi vivere con me in questa Casa dovrai abituarti a nascondere anche più della metà di te stessa.»

Cosimo Rolando non ebbe timore di dare scandalo prendendo a vivere nella sua Casa la bella prostituta claudicante, con il viso coperto di lentiggini e i capelli rossi. Poco alla volta Palmira aveva preso sicurezza e scherzava con gli alti prelati che frequentavano la mensa di Cosimo Rolando. Lanciava sguardi malandrini, si strusciava agli ospiti sotto gli occhi tolleranti del suo protettore, mostrava le gambe e le tette che uscivano d'improvviso dal corpetto i cui lacci erano stati maliziosamente allentati. Severi Vescovi oltramontani e Signori della Curia restavano interdetti a quella vista, ma volentieri ritornavano nella Casa dove si potevano godere quelle visioni da Paradiso Terrestre. Cosimo Rolando, perplesso da principio, si era poi rassegnato a quelle subitanee esibizioni quando si era accorto che erano gradite ai suoi ospiti.

Palmira aveva preso in mano la conduzione della

Casa e, insieme al Gentiluomo della Famiglia, accoglieva gli ospiti e offriva vini passiti venuti dalla Sicilia, dolci e canditi che lei stessa manipolava nelle cucine. Padrona di casa, cortigiana, concubina e dama di rispetto. Cosimo Rolando ne era fiero anche se temeva ancora che le sue esibizioni potessero urtare i sentimenti degli ospiti. Ma questo non succedeva mai.

Poi era arrivata la Bolla papale con la quale si ordinava che nessun Chierico osasse tenere in casa una concubina, pena la scomunica. E così Cosimo Rolando si trovò obbligato a licenziare la bella Palmira con la formula rituale davanti a un notaro pontificio. Dovettero dichiarare, secondo quanto stabiliva la legge, che si sarebbero lasciati. "Facias et vadas libere pro factis tuis" disse Cosimo Rolando a Palmira davanti al notaro, vattene per i fatti tuoi "et ex nunc ulterius mecum facere non habeas" e d'ora in avanti non avrai più nulla a che fare con me. Lo stesso dovette dichiarare Palmira biascicando faticosamente quel latino notarile e violento con le lacrime agli occhi, avendo accettata come ineluttabile la separazione voluta dal Papa. La separazione e l'offesa. Da quel giorno era scomparsa, mai più vista mai più sentita, come svaporata nell'aria. Cosimo Rolando l'aveva fatta cercare per ogni dove, fuori e dentro la città, nelle case dell'Ortaccio, al Pozzo Bianco e nelle stradette del Fico, nei bordelli e nelle stufe, ma senza risultato.

Erano passati lunghi anni. La scomparsa di Palmira non ne aveva cancellato la memoria. I fugaci passaggi delle cortigiane di Borgo, che si dedicavano con la dovuta discrezione ai preti della Curia Romana, non riuscirono mai a consolare la solitudine di Cosimo Rolando.

Quando Palmira era ritornata a Roma dopo l'esilio volontario a Fondi, dove si era rifugiata presso la sorella a lavorare negli orti e nei vigneti, invano Cosimo Rolando aveva cercato di averla nella sua Casa per qualche notte. Palmira non voleva avere con lui un rapporto come una qualsiasi mignotta di passo. O concubina o niente. E così aveva ripreso la vita della strada con clienti occasionali, pellegrini, stranieri, preti di passaggio. Non voleva guastare, gli aveva fatto sapere, l'unico amore della sua vita, dono delle stelle. Queste parole e la decisione del rifiuto avevano riacceso i sentimenti di Cosimo Rolando e aggravato la sua cardinalizia solitudine.

Si presentò un giorno a Cosimo Rolando l'occasione di acquistare un palazzo di sobria ma elegante architettura in piazza dell'Oro in vista del Tevere e del Colle Vaticano, più grande di quello di via Monte della Farina, con annessa la scuderia e la rimessa per le carrozze e con spazi più abbondanti per la Famiglia. Il passaggio dalla Farina all'Oro sembrò di buon auspicio a Cosimo Rolando che, a costo di nuovi debiti presso i banchieri fiorentini, si impegnò nell'acquisto prima ancora di avere trovato un compratore per la residenza precedente. Ma si rese conto ben presto che gli stridi dei gabbiani che venivano dal Tevere vicino non erano una compagnia amica come aveva sperato prima dell'acquisto. Si accorse anzi che al tramonto del sole, quando si adunavano lì intorno e volavano bassi girando intorno alle cupole e ai campanili, quelle loro strida quasi umane erano una nuova fonte di inquietudine e causa di noiose emicranie. Fu così che si dedicò, insieme a un esperto architetto, all'arredamento della nuova Casa, una occasione per sfuggire al tedio e alla solitudine per l'assenza di Palmira. E decise di ornare le sue stanze con la presenza di nuovi specchi che avrebbero moltiplicato la sua immagine smagrita e gli avrebbero dato la illusione di non essere mai solo. Comprò nei negozi di antiche cose tutti gli specchi che riuscì a trovare: specchi veneziani, spagnoli, olandesi e perfino uno specchio indiano.

Ogni specchio volle battezzare con un titolo che potesse riflettere, al di là della sua immagine, il segreto repertorio dei suoi sentimenti. Specchio delle Incertezze, Specchio dell'Ispirazione, della Simpatia, della Malinconia, della Vanità, dell'Amore Profano, Specchio dell'Uomo Triste, dell'Amicizia, della Notte, della Quiete, della Seduzione, Specchio del Nulla, del Silenzio, del Sorriso, della Serenità, delle Pene Perdute, Specchio delle Delusioni, Specchio della Memoria, Specchio della Dimenticanza.

Non tutti gli specchi entrarono nel salone del piano nobile dove passava gran parte delle sue giornate e perciò molti ne dispose sulle altre pareti della Casa, nella sala dei pranzi, nella camera da letto e perfino nei corridoi. In quei fragili oggetti appesi alle pareti Cosimo Rolando aveva deposto le sue illusioni superstiti e le sue malinconie.

Qualche ospite si sentiva prendere dai capogiri alla vista di tutte quelle immagini riflesse che si moltiplicavano all'infinito negli specchi contrapposti. Una Casa di illusioni fantastiche quella del Cardinale Cosimo Rolando della Torre, ma anche di nuove inquietudini che turbavano i sensi del suo animo afflitto. Imparò a convivere con questa illusoria compagnia dei riflessi nei quali si esercitò a leggere solo ciò che poteva recargli conforto.

VII

Il giovane Diacono Baldassarre aveva tenuta segreta la sua conversazione con il Priore intorno a quello strano fenomeno degli sternuti davanti ai luoghi sacri. In cuor suo sperava ancora che si trattasse di un inspiegabile e temporaneo risentimento fisico che prima o poi sarebbe scomparso da per se stesso, così come era arrivato. Non escludeva nemmeno che si trattasse di un misterioso e risibile sortilegio zodiacale e volentieri ne avrebbe parlato con qualche astrologo per evitare l'umiliazione dell'esorcismo. Aveva sentito che Savonarola, i Platonici fiorentini, i Carmelitani di Bologna e perfino qualche Papa, avevano interrogato per mezzo dell'astrologia una intera gerarchia di maligni spiriti che dimorano negli spazi aerei fra la Terra e la Luna e dirigono dall'alto le azioni dei demoni gregari mandati a portare disordine fra gli uomini. Ma il giovane Diacono sapeva che quello degli astrologi era un mondo di personaggi difficili ed esosi che si facevano pagare a suon di ducati, inavvicinabili da un frate povero come lui.

Il Cardinale della Torre aveva i mezzi per raccomandarlo a un astrologo, ma sicuramente avrebbe preferito trovare un'altra soluzione al suo problema.

Se si trattava di un male fisico sarebbe bastato un medico, ma il Diacono ormai si stava convincendo che un turbine innaturale agitava la sua anima, qualcosa di oscuro e sicuramente vicino al peccato. Si sentiva nella penosa condizione di chi si rende conto di essere fuori dalla grazia di Dio, come dire in peccato, ma del peccato non conosce né la natura, né la causa, né gli accidenti che lo producono. In un certo senso un peccato astratto e senza colpa, un peccato fantasma. Uno stato involontario di impertinenza, di negligenza religiosa, di irriverenza verso i luoghi sacri. Come altro poteva definirsi quella vergognosa e ridicola reazione fisica davanti alle chiese e in prossimità del Santissimo?

Il povero Diacono era stato sul punto di confidarsi con la sorella Fiorenza, ma poi era intervenuto il Priore e quasi lo aveva convinto che un Demonio si era insediato nel suo corpo. Meglio allora non rischiare le chiacchiere della sorella e delle sue pessime amiche. Ma perché il Demonio aveva scelto proprio lui povero frate se voleva farsi beffe delle altissime Gerarchie del Cielo?

L'infelice Diacono aveva fatto da quel giorno molti esami di coscienza, aveva scandagliato i propri segreti pensieri, le perplessità, i dubbi, le malizie, le negligenze, le tentazioni che lo assillavano. Ma quale frate, si diceva, non aveva almeno una volta desiderato quelle ragazze che passavano davanti al Convento di via della Scrofa per andare a sciacquare i panni nelle lavanderie tiberine? Passavano la mattina e spesso, proprio sotto le finestre del Convento, alzavano le loro voci squillanti per intonare canzoncine amorose. Anche gli altri frati gettavano una oc-

chiata dalle finestrine delle loro celle a quelle scia-
mannate. Erano occhiate di desiderio, peccati che si
confessavano l'un l'altro sorridendo perché non si va
all'Inferno per avere guardato una ragazza dalla finestra anche se dall'alto, sostenevano i più arditi, si vedevano le tette. E allora, si ripeteva il Diacono Baldassarre, se i suoi peccati erano solo questi, più
qualche pensiero disonesto davanti ai disegni osceni
della sua cella, perché mai il Diavolo aveva scelto
proprio lui come albergo mondano?

Continuava a farsi questa domanda il fraticello
smarrito, senza trovare una risposta. Per la verità la
sua anima era in pena per ignote colpe, ma il Diavolo lui non se lo sentiva dentro, non sentiva proprio
niente, nessuna presenza ingombrante, semmai un
gran vuoto e qualche improvviso turbamento dei
sensi comune a tutti gli uomini di questo mondo. Ma
sempre, quando passava davanti alle chiese, quei
maledetti sternuti lo scuotevano come la tempesta
scuote un albero e ne torce i rami. Ce l'avevano con
lui i Santi benedetti? Ma perché dovevano persegui-
tarlo San Salvatore in Lauro, Sant'Agostino da Ippona, Santa Cecilia Martire, i Santi gemelli Cosma e
Damiano e anche i Santi Quattro Incoronati? Non li
conosceva, li aveva soltanto incontrati nei libri, questi Santi, o sul calendario, o ben piazzati sugli altari
delle chiese. A lui erano del tutto indifferenti, con il
rispetto naturalmente che un frate deve ai Santi eletti da Dio e venerati dagli uomini. E Maria Vergine e
Madre di Nostro Signore Gesù Cristo? Perché anche Lei?

Dunque il Diacono Baldassarre decise di parlarne
con il Cardinale della Torre, suo obbligato e solido

riferimento per ogni incertezza del corpo e dello spirito.

Il Cardinale della Torre stava dietro al suo tavolo nel Salone degli Specchi con la testa china su un grosso libro che il Diacono riconobbe subito, era il libro mastro dove il Computista della Famiglia annotava le spese e le entrate della Casa.

Quando il giovane Servitore di Camera entrò nella stanza e si fermò sulla soglia, il Cardinale alzò lo sguardo e gli fece un gesto perché si avvicinasse.

«Quale vento ti porta? Scirocco, libeccio, tramontana? Quando ti presenti di tua iniziativa so già che c'è qualche turbolenza nell'aria.»

«Volevo parlarvi del Diavolo, Eminenza.»

Il Cardinale alzò gli occhi stupito, guardò con preoccupazione il Diacono che gli annunciava un argomento del tutto inaspettato.

«Ci sono novità dall'Inferno?»

Il Diacono chinò la testa senza rispondere. Desiderava parlare seriamente. Il Cardinale chiuse lentamente il libro dei conti, poi fissò il giovane.

«Mi pare di avere capito che c'è una cosa che ti procura qualche ansietà.»

«Sì, Eminenza. Ma non so da dove incominciare.»

«Incomincia dalla fine e se poi sarà necessario mi spiegherai il resto.»

Il Diacono si fece coraggio.

«Il Priore del mio Convento vorrebbe farmi esorcizzare. Dice che forse sono indemoniato.»

Il Cardinale, per quanto esperto nell'arte della dissimulazione, non riuscì a nascondere la propria meraviglia.

«Non è una cosa da poco. E si può sapere come è arrivato a questa convinzione?»

Il Diacono rimase ancora per qualche momento in silenzio, poi parlò in fretta.

«Uno strano fenomeno, Eminenza. Quando passo davanti alle chiese mi viene da sternutire.»

Il Cardinale non sapeva come dominare lo stupore che cresceva a ogni parola del Diacono.

«Che stranezza. Non ho mai sentito niente di simile. E secondo il Priore questo sarebbe opera del Demonio?»

«Così dice.»

«E se entri in una chiesa?»

«Gli sternuti si mutano in una tosse molesta e persistente.»

«In quei casi ti esce qualche bestemmia?»

«No, non è mai successo, non ne ho mai sentito il desiderio. Ma anche se volessi non potrei perché la tosse o gli sternuti non lasciano posto alle parole.»

Il Cardinale chiuse gli occhi e si passò le mani sulle guance, un gesto che doveva procurargli la distensione necessaria per affrontare una notizia così sorprendente.

«Poco fa quando mi hai parlato del Demonio mi sarei messo a ridere. In realtà abbiamo una idea molto approssimativa del Signore delle Tenebre e pensiamo che difficilmente si presenti fra di noi. È uno stupido pregiudizio perché non abbiamo a che fare con un essere unico, ma con una moltitudine di emanazioni che vivono fra noi e si allocano nei luoghi più imprevedibili. E così può succedere che un giovane Diacono innocente come te si trovi improvvisamente in preda al Demonio che è venuto a insediarsi nel suo corpo.»

«Anche voi lo credete possibile? Io sono un uomo solo e disarmato, una sentinella silenziosa della mia religione, un essere innocuo.»

«Lo scopo finale del Demonio è quello di creare confusione e ricondurci nel caos dal quale Dio ha iniziato la creazione del Cielo e della Terra. Il ritorno al caos delle origini non avverrà, sarebbe contro la volontà dell'Onnipotente, ma su quella strada il Demonio riesce a produrre svariati incidenti, a seminare disordine e peccato dentro alle piccole e grandi comunità cristiane, con qualsiasi mezzo.»

Il Diacono Baldassarre guardò con preoccupazione il Cardinale.

«Proprio io dovrei essere il veicolo del caos e del peccato? Io penso di non essere un peccatore.»

Il Cardinale lo guardò con severità.

«Tutti siamo peccatori. Omnia peccatum est, lo dice l'Apostolo Paolo e lo dico anch'io.»

«Sì sì, ma io non lo sono più di tanti altri e quando commetto un peccato corro a confessarmi e mi pento ogni volta. E poi, Eminenza, questo Demonio io non lo sento dentro di me. Non pensate che se fosse veramente venuto ad abitare nel mio corpo in qualche modo me ne sarei accorto?»

«Il Demonio arriva come il vento, abita e vive fra noi invisibile e clandestino, sceglie i suoi abitacoli secondo criteri che a noi rimangono oscuri.»

«E io sarei un abitacolo del Demonio? Ma che orrore, Eminenza.»

«Capisco la tua ripugnanza, ma forse il Priore non

ha torto. In quale altro modo potresti spiegare il fatto che non riesci a dominare i tuoi comportamenti davanti e dentro le chiese? Non credo che tu voglia farti beffe dei sacri luoghi del culto. E allora significa che in quei casi viene annullata la tua volontà. Di conseguenza il tuo animo deve rimanere sereno perché tu sei senza colpa anche se i tuoi comportamenti sono beffardi.»

Il giovane Diacono invece di acquietarsi alle parole del Cardinale mostrava una preoccupazione crescente.

«Avevo deciso di parlare con voi, Eminenza, per evitare l'esorcismo al quale vorrebbe sottopormi il Priore. Non voglio apparire agli occhi di tutti come un indemoniato. Anche se l'esorcismo riuscisse, e non sempre riesce, apparirei in ogni caso come un veicolo scelto da Satana per introdurre, come dite voi, disordine e peccato nella comunità cristiana.»

«Tu sai bene che i Santi Padri del deserto cercavano il contatto con il Demonio proprio per combatterlo e vincerlo. Dovresti dunque essere fiero di tener testa a un essere potentissimo come Satana.»

Il giovane Diacono aveva quasi le lacrime agli occhi.

«E voi continuerete a tenermi al vostro servizio pur essendo convinto che io vi porto in casa il Demonio?»

«Il Demonio passeggia ovunque e si introduce in tutte le case. La sua presenza può manifestarsi in mille modi diversi, di notte o di giorno, con il sole o la pioggia, il vento o la tempesta e si espande senza freno ovunque, ad eccezione dei luoghi sacri dedicati al culto. Infatti si trova a disagio nelle chiese o nelle vicinanze delle chiese. Non sei tu ma è il Demonio che sternutisce e che viene preso dalla tosse quando ti avvicini all'altare. Tu ora mi dici che temi l'esorcismo cui vorrebbe sottoporti il Priore. Hai qualche ragione, perché non è escluso che la scelta della tua persona sia da attribuire a un errore del Demonio. Come saprai i diavoli inviati in missione fra gli uomini possono commettere degli errori e spesso li commettono. Racconta Alberto Magno che un Diavolo incaricato di portare all'Inferno un certo Stefano di Costantinopoli, arrivato davanti al giudice infernale venne rimproverato perché l'ordine era di portare laggiù un fabbro di nome Stefano e non già lo Stefano nobiluomo che il Diavolo aveva condotto fra i dannati. E pare che l'Arcangelo Gabriele abbia un gran da fare per rimediare agli errori degli Angeli, perché anche loro sbagliano. Ci sono Angeli sbadati, poltroni, timidi, pusillanimi. Dunque conviene che il Priore aspetti prima di ordinare l'esorcismo. Può darsi che il Demonio sia entrato nel tuo corpo per errore e che se ne vada spontaneamente. Può darsi che tu sia soltanto un ponte di passaggio per altre mete. Se vuoi parlerò con il Priore perché rinunci a questa operazione rischiosa e forse inutile.»

«Ve ne sarò grato per tutta la vita, Eminenza.»

«Non impegnare il tuo futuro con leggerezza, potresti pentirtene.»

«Non voglio apparire come un indemoniato, veicolo di Satana e agente del caos.»

«Non vuoi apparire o non vuoi essere? C'è qualche differenza.»

«Avete ragione, Eminenza, ciò che conta non è l'apparenza ma la sostanza.»

«Esorcismo o no, la sostanza non cambia. Se il Demonio se ne va sua sponte o viene scacciato dalla tua persona, entrerà in un'altra e commetterà delitti non diversi da quelli che probabilmente si propone di commettere per tramite tuo. Dunque l'esorcismo può aspettare.»

«Dovete scusarmi ma è un discorso che non riesco a capire, Eminenza. Non so di quali delitti parlate.»

«Satana non si scomoda a venire fra noi solo per gioco. Avrà i suoi progetti. E quali possono essere i progetti di Satana se non delitti? Se veramente il Priore ha ragione, e io non voglio mettere in dubbio la sua competenza, da questo momento sei, come direbbe Aristotele, un peccatore in potenza. Ma nessuno può sapere quali sono i progetti di Satana.»

Il giovane Diacono non poteva credere alle proprie orecchie.

«È una situazione assolutamente paradossale nella quale mi sento a disagio.»

«Perché mai?»

«Non vorrei diventare l'esecutore di delitti voluti da Satana.»

A quelle parole il Cardinale parve colpito da un fulmine. Si agitò sul suo seggio, chiuse gli occhi e si passò ancora le mani sulle guance come ogni volta che voleva prendere tempo. Ecco il serpente incantatore che mi sibila nelle orecchie, si disse, ecco il fischietto di Satana. Dopo rapida riflessione decise di accantonare per il momento il subitaneo suggerimento. Tutte le cose hanno un loro tempo, e tutte passano e ripassano sotto il cielo al momento opportuno, come dice l'Ecclesiaste.

«Hai detto giustamente che ti trovi in una situazione paradossale. E io aggiungo che anche i tuoi comportamenti possono essere paradossali.»

«Che cosa intendete dire?»

«Per tenere a bada il Demonio e per evitare di eseguire i suoi ordini malvagi, forse conviene che sia tu stesso a scegliere qualche peccato veniale che non provochi la tua ripugnanza e che distolga Satana dai suoi progetti, almeno per il momento.»

«È un invito a commettere qualche peccato, Eminenza?»

«In un certo senso è proprio così. Ci sono peccati di cui ciascuno di noi si porta dietro il desiderio per anni. È arrivato il momento in cui puoi liberarti impunemente di qualche tuo segreto desiderio, purché questo non porti danno al prossimo tuo. Hai capito che cosa intendo? Siamo ministri di Dio, ma anche uomini fisicamente sani e assediati dai desideri.»

«Mi sembra di avere capito, Eminenza, ma non vorrei sbagliarmi.»

«Peccati d'amore, per esempio. Sai che cos'è l'amore profano? L'amore per una donna?»

«Credo di sì, Eminenza.»

«Il mio è un discorso contingente dettato da una lunga esperienza di Chiesa e di vita. Io ti ho parlato di un peccato, il più umano fra tutti i peccati, che può liberarti da cento peccati di desiderio e quindi conveniente per la tua salute spirituale. Uno stratagemma per offrire a Satana la soddisfazione di un peccato e nello stesso tempo per affermare la tua indipendenza dai suoi suggerimenti.»

«Per la verità finora non mi ha suggerito nulla.»

«I numeri di Satana sono repentini e imprevedibili.»

Ma ormai i pensieri del Diacono giravano come un vortice intorno al suggerimento del Cardinale, così suggestivo e, gli venne da pensare, così repentino e imprevedibile.

«E non dovrò nemmeno confessarmi?»

«La confessione è un Sacramento liberatorio che giova alla tua coscienza dal momento che scegli di tua volontà un peccato minore per evitarne uno peggiore. Ti ho suggerito un modo non tanto ortodosso, o paradossale se vuoi, per sfuggire agli ordini di Satana, ma ti consiglio, dopo il peccato, anche la confessione. Ci sono situazioni negative nelle quali solo il male può uccidere il male. Ma è un comportamento a rischio che va scontato. Non so se sono stato abbastanza chiaro.»

«Siete stato chiarissimo, Eminenza, e vi ringrazio. Ora dovrò lasciare spazio ai miei pensieri per decidere che cosa devo fare.»

«Non pensare troppo perché in qualche caso il pensiero nuoce alla salute dell'anima. E ricordati che il mondo procede con i fatti, non con i pensieri.»

«Siete sicuro, Eminenza?»

Il Cardinale si passò una mano sulla guancia sinistra.

«No. Vedi che mi hai costretto a pensare e io ti ho risposto con una negazione. Ma questo a chi giova? È soltanto un freno all'azione. Io dico: prima si agisce e poi si pensa. Dopo ci si può anche pentire, ma intanto il mondo procede. Un antico apologo cinese dice che se il millepiedi dovesse pensare ogni volta quale piede muovere, resterebbe immobile ai margini della strada e morirebbe di inedia.»

«Per fortuna noi abbiamo solo due piedi, Eminenza.»

«Sono già troppi.»

Il Diacono fece un inchino e aspettò un segno del Cardinale per ritirarsi. Era emozionatissimo. Il Cardinale lo fece aspettare per qualche istante come se volesse dirgli altre cose, ma poi fece un gesto con la mano per congedarlo e rinviare ad altra occasione la fine di quel discorso che evidentemente non considerava concluso.

Ogni sera quando si infilava nel letto il Diacono Baldassarre si copriva la testa con il lenzuolo e partiva in avventure senza giudizio, lontane dalle avarizie della vita. Aveva scelto come interlocutore delle sue confidenze solitarie una Santa alessandrina di cui si erano perse le tracce perfino nel calendario, ma che aveva incontrato fra le pagine di un vecchio testo di Jacopo da Varagine sepolto nella polvere della biblioteca del Convento Francescano di via della Scrofa. Veniva nominata come Santa Teodora e descritta gentile femmina e bella, vissuta presso Alessandria d'Egitto al tempo di Zeno Imperadore. E tu Santo Francesco, fondatore e protettore del mio Ordine, non ti dispiacere se ho scelto Teodora per le mie confidenze notturne, mormorava il giovane Diacono sotto i lenzuoli. Prima di tutto è una donna, e questo mi riscalda l'anima, e poi tu Francesco sei troppo Santo, troppo vicino alla perfezione e poco disposto a comprendere i pensieri che passano nella mente di un povero frate che si sforza di non cadere nel peccato, ma che ogni sera prima di dormire pecca con l'immaginazione. Produce peccati l'immaginazione? Al Diacono francescano non risultava che in qualche testo sacro l'immaginazione venisse additata come strumento di peccato. Il desiderio sì, è peccato desiderare la donna d'altri, ma Teodora non era donna di nessuno ormai. L'immaginazione in sé è soltanto uno sfogo della mente che prende il posto dei peccati e li tiene lontani. Immaginare un peccato può essere una piccola colpa in confronto al peccato commesso nella realtà. Jacopo da Varagine non dice se Teodora aveva gli occhi celesti o bruni, i capelli biondi o corvini. Il Diacono se la immaginava bruna con gli occhi fiammeggianti, gentile femmina e bella, Santa espansiva e generosa. Come sai ho per la tua persona, Santa Teodora, un sentimento che cresce nel mio animo di notte in notte. Spero tanto che tu sia esistita veramente in Alessandria, anche se poi, dopo averti fatta Santa ti hanno perfidamente cancellata dal calendario liturgico. Eri bella e gentile, dice Jacopo da Varagine, e io ti vedo e ti immagino con i capelli al vento e la veste leggera, come è giusto per chi vive in Alessandria africana o nei Cieli assolati del Paradiso. E come vorrei che fosse veritiera la voce della incantatrice che ti ha tratta in inganno dicendo: ciò che si fa di giorno Dio sa e vede, ma quello che si commette da vespro innanzi, da che il sole è tramontato, Dio nol vede. Sarebbe una grande gentilezza di nostro Signore Iddio lasciarci la notte libera per i nostri peccati, perché l'uomo è debole e il peccato è uno sfogo necessario ai suoi sensi e alle sue passioni. E così, Teodora, tu hai commesso adulterio di notte pensando che Dio non ti vedesse come ti aveva fatto credere quella donna. Ma senza quel peccato e la lunga espiazione forse non saresti diventata Santa. Dunque ben venga quel peccato di adulterio. Io non ho ambizione di santità, sono un povero frate, ho poche occasioni di peccato e un peccato non commesso a Viterbo ancora mi pesa sulla coscienza come una colpa. Quando chiudo gli occhi e ti vedo nella luce della mia mente, tu hai lo stesso sguardo di quella ragazza che mi si era offerta con innocenza, senza nemmeno l'emozione e il piacere del peccato. Troppo radicata nella mia infelice coscienza era allora l'idea del peccato presente in ogni luogo, e così non ho ceduto a quella bellissima tentazione per intervento del Demonio, o del suo fantasma. Errore di cui amaramente mi sono pentito per tutti gli anni che sono seguiti e che seguiranno. Potrai aiutarmi a rimediare a quell'errore? Forse è arrivata l'occasione propizia. Stammi vicina, mia amica e confidente, luce delle mie notti, santo veicolo dei miei peccati immaginari.

VIII

Quando il Cardinale Ottoboni chiese un colloquio riservato, urgente e "sine forma" al Cardinale della Torre, quest'ultimo rimase assai perplesso, ma anche impensierito. Il Gentiluomo della Famiglia inviato per chiedere l'appuntamento non seppe o non volle rivelare l'argomento del colloquio, ma sicuramente, pensò Cosimo Rolando, doveva trattarsi di problemi connessi alla successione nella carica di Camerlengo della Reverenda Camera Apostolica. Veniva a proporre un armistizio? Una trattativa? Un accordo? O che altro? L'incontro lo metteva comunque in imbarazzo.

Contrariamente alla consuetudine, il Gentiluomo non era arrivato in carrozza ma su un cavallo arabo assai irrequieto, non tanto idoneo a un alto funzionario di una eminente Famiglia cardinalizia. Il Frate Portinaio di piazza dell'Oro aveva esitato a introdurlo nella Casa temendo che, nonostante le credenziali con il sigillo dell'Ottoboni, sotto quel mantellone di seta si nascondesse un brigante.

Urgenza e segretezza avevano impensierito il Cardinale della Torre, anche perché non avrebbe in nessun modo potuto rifiutare l'incontro senza arrecare una gravissima offesa a un suo pari. L'etichetta in primo luogo. Tuttavia introdurre nella propria abitazione un rivale di quella levatura, notoriamente astuto e spregiudicato, presunto mandante dei veleni che lo avevano privato del suo vecchio Chierico di Camera e della carica di Abbreviatore, poteva essere una solenne imprudenza ma, colto così di sorpresa, non ebbe l'animo di trovare un pretesto plausibile per un rifiuto. Pensò alla astuzia di Ulisse e al Cavallo di Troia, un tranello insomma.

Il Cardinale avrebbe voluto spedire il Diacono Baldassarre, suo fiduciario ed esploratore segreto, a raccogliere qualche indiscrezione sulle intenzioni dell'Ottoboni ma, dopo la licenza d'amore concessa al giovane frate durante il loro ultimo incontro, di lui si erano perse le tracce. Era scomparso sia dalla sua Casa che dal Convento di via della Scrofa.

L'incontro si svolse in modo del tutto differente dalle aspettative. Il Cardinale Ottoboni venne accolto con i complimenti d'uso e introdotto nel Salone degli Specchi dove lo aspettava Cosimo Rolando.

L'ospite si guardò intorno senza fare commenti su quello strano arredamento, poi cominciò a parlare del nuovo Papa in viaggio verso Roma.

«Ho conosciuto il Cardinale di Tortosa, che abbiamo avuto la dabbenaggine di fare Papa, una decina di anni fa a Utrecht. Non so se la natura sia stata particolarmente benevola in questi anni nei suoi riguardi, ma certamente allora aveva il volto pallido, il corpo magro, i gesti lenti, e sembrava serioso perfino quando rideva, cosa che peraltro succedeva assai raramente.»

«Sono molto interessato a queste notizie» disse Cosimo Rolando senza compromettersi e senza capire il perché di quel preambolo.

«Questo Papa fiammingo» disse il Cardinale Ottoboni, e fece una pausa come se si fosse già pentito di quanto stava per dire «è una lumaca.»

Il Cardinale della Torre lo guardò sorpreso. Non gli sembrava credibile che l'Ottoboni fosse venuto da lui per dirgli che il Papa fiammingo era una lumaca. Per questo aveva chiesto un colloquio riservato e urgente?

«Veramente» rispose «non saprei se augurarmi che continui a viaggiare verso Roma a tempo di lumaca o che acceleri l'andatura. Voi che cosa ne pensate?»

Cosimo Rolando si era inserito nella conversazione, ma subito aveva rinviata la palla al suo interlocutore.

«È un uomo lento di passo e di pensiero. Dobbiamo fare un atto di contrizione e accettare gli eventi perché lo abbiamo eletto noi» disse il Cardinale Ottoboni che continuava a parlare un linguaggio generico e divagante. «Dio perdonerà i nostri errori e peccati.»

E allora? si domandava dentro di sé Cosimo Rolando. Perché non arriviamo al dunque?

«Da più parti, e temo anche dalle parti di Tortosa» proseguì il Cardinale Ottoboni «si è scambiato lo splendore della Corte Romana con la corruzione. I pittori, i poeti, i teatranti non sono dei malfattori così come non lo sono coloro che li proteggono. Voi credete che a Dio possano dispiacere le rime poetiche che si compongono negli orti letterari, le opere di pittura che decorano i nostri palazzi, le suppellettili d'oro e d'argento e le eleganze della Corte Pontificia? Leonardo, Raffaello e Michelangelo sono dunque dei pitocchi? Non è forse un segno di devozione dedicare a Dio Onnipotente quanto di meglio l'uomo riesce a produrre nell'arte e nel decoro della Santa Sede? Il Cardinale Piccolomini dice addirittura che sarebbe una buona cosa creare qui a Roma un modello del Paradiso, ma ha idee alquanto confuse. Il Cardinale Riario ha in mente un suo modello di Paradiso dove hanno un ruolo importante le donne nude, e mi pare che riscuota molti consensi anche fra i membri del Sacro Collegio.»

A queste parole il Cardinale della Torre ebbe un sussulto. L'Ottoboni voleva forse rinfacciargli la frequentazione del Palazzo Riario?

«Altri identificano il Paradiso in Terra con la buona tavola» disse ancora il Cardinale Ottoboni. «Tutte idee rispettabili: la dignità e la gloria della Chiesa si manifestano in tante variegate maniere. Forse è soltanto una voce maligna, ma si dice che Adriano di Utrecht creda in Dio e che proponga penitenze e privazioni in vista del Paradiso in Cielo, mentre noi lo abbiamo eletto Papa in Terra.»

«Le luci abbaglianti e le musiche sacre del Paradiso mi preoccupano» disse il Cardinale della Torre finalmente a suo agio dopo le confidenti e caustiche divagazioni del suo ospite. «È una prospettiva poco allettante per chi non ama la musica e soffre di arrossamenti agli occhi. Secondo Giotto poi tutti gli ospiti del Paradiso dovrebbero portare l'aureola in testa, a giudicare dai suoi dipinti nella Cappella degli Scrovegni. Io soffro di emicranie e l'aureola sarebbe per me una tortura, ammesso che mi facciano entrare lassù fra i Beati. Sul Paradiso in Terra temo che il nuovo Papa non abbia nemmeno un pensiero. Non so proprio che cosa ci aspetta e che cosa ci conviene sperare.»

«Già si fanno i nomi dei preti fiamminghi che verranno a Roma come consiglieri del nuovo Pontefice e che sicuramente occuperanno gli uffici principali della Curia. Hanno tutti dei nomi che non riusciremo mai a pronunciare: Guglielmo van Enkevoirt, Teodorico van Heeze, Giovanni van Ingenwinkel e altri ancora che mi paralizzano la lingua. Purtroppo i preti fiamminghi, notoriamente stupidi come la pietra, esaltano i progetti di riforma e quasi di vendetta del Cardinale di Tortosa, ora Papa Adriano VI, e si vantano di nominarlo come il più giusto degli uomini, il correttore dei delitti, la luce del mondo, il castigatore dei peccati, il martello dei tiranni, il prete dell'Altissimo. E noi che cosa siamo? Solo dei peccatori? Da Leone X al Papa fiammingo pare che il mondo si sia capovolto.»

Il Cardinale Ottoboni a questo punto tacque e si guardò intorno distrattamente come chi non ha interesse a proseguire la conversazione.

Il Cardinale della Torre continuava a non capire. Perché il suo rivale era venuto nella sua Casa? Per manifestare il suo risentimento verso il nuovo Papa? Era un esercizio che facevano in molti a Roma da quando Adriano si era messo in viaggio verso il Soglio di Pietro. Se ne dicevano tante sul suo conto e i parlatori più accaniti erano proprio i Cardinali che lo avevano eletto. C'era perfino chi lo aveva nominato pubblicamente come homo barbaro, de natione vilissima de Fiandra, et pedante o pedagogo de Carlo V. Il quale, si ben per altro meritasse lode, per questo solo merita esser notato de eterno biasmo, avere instituito un tal discipulo. Niente di nuovo dunque. Che poi il Cardinale Ottoboni avesse chiesto un incontro ben sapendo che ambedue erano concorrenti allo stesso incarico di Camerlengo, divenuto tanto più prezioso da quando il nuovo Papa aveva progettato un regime di economie forsennate, era una solenne stranezza.

«Sono osservazioni molto pertinenti» disse il Cardinale della Torre «ma forse tardive se non abbiamo la forza e la possibilità di correre ai ripari.»

«Il Cardinale Campegio, uno dei pochi eletti che staranno sicuramente vicino al Papa fiammingo in Vaticano per volontà del gotico Winkler, ha definito "sanguisughe" gli ufficiali della Camera Apostolica. Su questo si può discutere a lungo, ma non si risolve il problema lasciando dodici sanguisughe invece di ventisette come pare abbia deciso di fare. Bisogna eliminare le sanguisughe e sostituirle con ufficiali onesti e capaci. Dicono i fiamminghi che la Dataria non funziona e che non funzionano gli altri uffici, la Consulta, il Sant'Uffizio, la Rota, e che qui a Roma si fa mercato della giustizia. Sarà anche vero, ma siamo da capo. Non si elimina il mercanteggio riducendo il numero dei mercanti.»

«Sono d'accordo con i principi che avete esposto

con molta franchezza» disse il Cardinale della Torre «ma non so che cosa si debba e si possa fare.»

«Poco, per la verità. Ma c'è un gesto sul quale sono d'accordo tutti i Cardinali con i quali ho parlato in questi tempi. Un gesto di poco peso reale ma di grandioso effetto simbolico. Quello della barba.»

Il Cardinale della Torre lo guardò senza profferire parola per lo stupore.

«Come saprete» proseguì l'altro Cardinale «il nuovo Pontefice ha ordinato che tutti i porporati si taglino la barba prima del suo arrivo.»

«Nessuno mi ha informato e sento ora per la prima volta questa notizia. È una ben strana decisione per la verità.»

«Pare che il Fiammingo consideri la barba un ornamento mondano, ma dietro questa ingiunzione mi pare che ci sia, cosciente o no, un sentimento di vendetta.»

«E di che cosa dovrebbe vendicarsi?»

«Dovete sapere che il nostro Adriano è un uomo di origini molto modeste ed è abituato a vivere modestamente. Basti dire che dispregia il vino e beve sidro. Berrà sidro anche per officiare la Santa Messa? Noi porporati siamo quasi tutti di nobili famiglie, abituati da secoli al decoro appreso fin dalla nascita e tutto questo pare che sia inviso al Papa. La barba è un simbolo della nostra dignità e privandoci della barba vuole punirci per le nostre origini e per quelli che appaiono ai suoi occhi dei lussi portentosi.»

«È una decisione che mi mette in grande imbarazzo.»

«Infatti avete una barba dignitosissima.»

«Non sapevo di questa ingiunzione, ma in ogni caso preferisco stare rinchiuso nella mia Casa piuttosto che presentarmi in pubblico senza barba. Con la faccia rasata mi sentirei nudo.»

«Dunque siamo tutti d'accordo di conservare le nostre barbe. Ho già parlato con alcuni Cardinali e, compreso Egidio Canisio che si ritiene dispensato da questa assurda ingiunzione in quanto fa parte dell'Ordine Agostiniano che impone la barba nella Regola, sono già decisi al rifiuto Ascanio Colonna, i toscani Petrucci, Passerini, Ridolfi e Piccolomini, i Cardinali Pucci, Ferreri, Tarantelli e Orsini. Penso che altri si aggiungeranno.»

«Come vedete io sono già dalla vostra parte. Per quello che mi riguarda sono disposto a privarmi della barba quando mi si dimostrerà che gli Apostoli avevano il mento rasato.»

«Pare che il nostro Adriano si sia ispirato a un decreto di Sant'Aniceto Martire, eletto Papa nell'anno di Cristo 155. Con quel decreto un lontano Pontefice proibiva al clero di coltivare la chioma e la barba, ma un Papa Santo e Martire non è necessariamente un uomo saggio.»

«Sono cambiate molte cose da allora. Ciò che un tempo poteva apparire una decisione saggia, oggi sarebbe soltanto una offesa alla dignità della Chiesa e dei suoi ministri.»

«Infatti nessuno ha mai detto che i Papi sono infallibili» disse il Cardinale Ottoboni. «E proprio il nostro Adriano, in una operetta intitolata *Commentario sul quarto libro delle Sentenze* che casualmente ho avuto per le mani, afferma testualmente che "un papa errar può anche in ciò che appartiene alla fede". Se può sbagliare sulla fede, a maggior ragione può sbagliare sulla barba dei Cardinali. Che ne dite?»

«Sono in tutto d'accordo con voi.»

«È quanto volevo sapere ed è questa la ragione per cui ho chiesto di incontrarvi. Sono felice di poter aggiungere il vostro nome a quelli che hanno già deciso di non subire questa umiliazione. Nessuno oserà affermare che le nostre barbe possano portare qualche danno alla religione o alle finanze dello Stato Pontificio di cui pare si preoccupi tanto il nostro Fiammingo.»

«Per quanto le sue preoccupazioni finanziarie siano comprensibili, credo anch'io che la nostra disobbedienza non porterà danno ad alcuno.»

Alla fine del colloquio i due Cardinali si salutarono con ostentata cordialità, come per antica amicizia.

Il Cardinale della Torre sentì dalla strada il rumore della carrozza e dei cavalieri della scorta che si allontanavano sull'aspro selciato. Era dunque tutto vero. Il Cardinale Ottoboni, il suo peggior rivale, dopo avergli sottratto con un colpo di mano la carica di Abbreviatore, e proprio mentre si apprestava a sottrargli anche quella di Camerlengo, era venuto nella sua Casa a pregarlo di non privarsi della barba contro le disposizioni del nuovo Pontefice.

Oppresso dalla emicrania, Cosimo Rolando tornò a sedersi nel Salone degli Specchi, si allentò le pantofole e si domandò quale fosse la vera ragione di quella visita. Ci pensò a lungo, fece decine di congetture e le scartò tutte. Alla fine decise che il Cardinale

Ottoboni, appagato per l'acquisizione della carica di Abbreviatore e sicuro di avere buone carte per quella di Camerlengo, era venuto semplicemente per convincerlo a non tagliarsi la barba. Qualche volta le cose sono proprio come mostrano di essere e le apparenze coincidono con la verità.

Terzo quadro

La flotta papale veleggiò lungo la costa fino a Barcellona per timore delle tempeste, frequenti in quell'arco di mare. In realtà, per quanto fosse composta di cinquanta navi e armata di duemila soldati, più delle tempeste si temevano i pirati turchi che infestavano tutto il Mediterraneo.

A Barcellona Adriano venne festeggiato nella Cattedrale dove si adunò tutta la prelatura della città e dei dintorni. L'arrivo dell'Abate di Montserrat, uno dei più rinomati centri culturali del mondo cattolico, aveva conferito all'incontro con il Papa la solennità di un evento storico. Ma il Papa deluse ogni aspettativa perché rivolse ai convenuti solo poche parole di saluto senza far cenno né ai problemi interni che travagliavano la Chiesa di Roma, né a quelli che stavano mettendo a soqquadro la Germania dopo lo scandalo delle indulgenze e la pubblicazione delle Novantacinque Tesi di Lutero.

Al suo ritorno a Montserrat l'Abate radunò tutti i monaci della grande Abbazia benedettina ansiosi di sentire la sua relazione sull'incontro con il nuovo Pontefice. Ma dall'alto della sua cattedra l'Abate disse soltanto "Vidi Pontificem" e poi rimase in un rigoroso silenzio che esprimeva, meglio di ogni discorso, la sua profonda delusione.

Ripreso il mare da Barcellona, la flotta passò davanti al porto di Marsiglia senza sostarvi, per diffidenza verso i Francesi che vedevano in Adriano una creatura dell'Imperatore. Venne invece decisa una sosta a Santo Stefano a Mare per celebrare la festa dell'Assunzione. Grandiose luminarie rallegrarono il buio dopo la cerimonia, ma quando si spensero le luci il Papa volle sapere quanti ducati era costato quello spettacolo.

Si fece una nuova sosta a Savona dove il Papa venne accolto e ospitato dall'Arcivescovo Tommaso Riario con uno sfoggio tale di ori e argenti e una così plateale esibizione di ricchezza che l'ospite ne rimase tramortito e senza parole. Dal fasto di quella accoglienza dell'Arcivescovo, membro di una famiglia ricchissima insediata solidamente nella Curia Romana, il Papa confidò ai suoi accompagnatori che ora cominciava a rendersi conto di quale vita conducessero gli alti prelati nella Capitale della Cristianità, intorpiditi dal lusso e dallo scirocco.

Nuova tappa a Genova dove Adriano si fermò per tre giorni ed ebbe sotto gli occhi le immagini tragiche di una città sconvolta dalla guerra, né riuscirono a distrarlo dallo sconforto i Comandanti imperiali Prospero Colonna e Antonio Leyva, i quali non ottennero quel trattamento cordiale che si aspettavano da un Papa di estrazione imperiale. Corse voce anzi che Adriano avesse addirittura rifiutata a quei signori della guerra la santa benedizione.

La tappa seguente venne interrotta da una sosta nel Golfo del Tigullio dove la flotta rimase in rada per quattro giorni a causa del mare in burrasca. Il timore dei pirati turchi indusse poi il Comandante della flotta a navigare prudentemente lungo la costa fino a Livorno, dove le navi approdarono finalmente il 23 di agosto. Qui Adriano trovò ad accoglierlo i cinque Cardinali toscani Medici, Petrucci, Passerini, Piccolomini e Ridolfi, avvolti in manti sfolgoranti e con in testa cappelloni piumati spagnoleschi che ancora una volta gli anticiparono il lusso e le frivolezze della Corte Pontificia. Costumi da impero bizantino li definì Adriano e, quando gli vennero offerti in dono i preziosi vasellami d'argento con cui era stata decorata la tavola del sontuoso banchetto, osservò ancora che i Cardinali italiani si trattavano come dei re.

«Guadagnatevi tesori per il Cielo e non per la Terra» esclamò rifiutando i doni, e non volle far sosta a Pisa e a Firenze, né volle soggiornare a Bologna come gli proponevano i Cardinali per tenerlo qualche tempo lontano dalla peste che aveva ripreso a mietere vittime a Roma. Questa semmai era una buona ragione, disse il Papa, per affrettare il suo viaggio e giungere al più presto nella Capitale per portare conforto agli appestati.

Insomma ogni parola e ogni gesto del Papa non fecero che aggravare lo sbigottimento e la depressione dei porporati che cominciarono a capire come il Fiammingo fosse ancora peggiore delle descrizioni che se ne erano fatte, e che tempi duri si preparavano nella Capitale per ogni ordine di dignità ecclesiastiche.

Alla notizia che si era alzato un vento favorevole, Adriano corse sulla nave e diede l'ordine di salpare da Livorno senza avvertire i Cardinali che stavano ancora a tavola in animato conciliabolo.

Nonostante l'offesa per quella fuga improvvisa, i Cardinali si apprestarono a partire sulle loro carrozze per essere presenti a Roma durante la cerimonia di insediamento, domandandosi quali altre brutte sorprese dovevano aspettarsi da quel Papa arrogante e plebeo che ingenuamente avevano eletto con i loro voti. Qualcuno rivolse ferventi preghiere a Dio Onnipotente perché, approfittando della peste, lo chiamasse in Cielo fra le anime beate o meglio ancora lo destinasse al Purgatorio a scontare la sua arroganza.

IX

Che il Cardinale della Torre lo avesse spinto a commettere un peccato di lussuria sembrava al Diacono Baldassarre una molto stravagante e allegra follia. Sarà paradossale la mia situazione di indemoniato, si diceva, ma ancora più paradossale è un Cardinale che induce al peccato un giovane frate al suo servizio. Dio mio, quanta confusione sotto il cielo.

Si aprirono davanti agli occhi del Diacono prospettive nuovissime. Se veramente il Demonio era colpevole dei suoi gesti, l'infelice condizione di indemoniato gli offriva anche i vantaggi di una totale e quasi disumana libertà. E allora perché non approfittarne? Poteva ululare nella notte, ubriacarsi, bestemmiare, incendiare i magazzini del fieno, rovesciare i banchi del pesce al Mercato delle Coppelle, strappare i vestiti alle dame che transitavano a piedi o in carrozza, azzoppare i cavalli, violentare le giovani lavandaie che si recavano al fiume, commettere insomma qualche temeraria e barbara impertinenza.

Il giovane Diacono era uscito dalla Casa di piazza dell'Oro deciso a fare un gesto ribelle, tale da impressionare tutto il mondo. Era arrivato fino a via di Torre Argentina e da qui, percorrendo le stradette secondarie per evitare di passare davanti alle chiese, raggiunse il Tevere presso le Carceri di Tor di Nona senza che gli si offrisse qualche tentazione. In mancanza di meglio si mise a inseguire di corsa una carretta del pesce avviata alle Coppelle, ma quando l'ebbe raggiunta sulla via dei Portoghesi bastò uno sguardo bieco del conducente per metterlo in fuga e fargli passare l'idea di rovesciarla come aveva deciso a mente calda.

Avvilito per la propria inettitudine, il Diacono si avviò a testa bassa sulla via Mellina vergognandosi a ogni passo, traversò la via del Governo Vecchio, passò davanti a Pasquino al quale fece un leggero cenno di saluto, poi raggiunse piazza dell'Oro e rientrò nella Casa del Cardinale.

La sera, mentre tentava di prendere sonno con la testa nascosta sotto il lenzuolo, di nuovo arrivarono come un vento caldo nella mente insonnolita del giovane Diacono gli stessi pensieri che già quel giorno aveva accantonato per viltà. L'indomani mattina avrebbe dunque lasciato a casa ogni prudenza e sarebbe andato lungo il Tevere dove quelle ragazze si recavano a lavare i panni. Qui si sarebbe del tutto denudato e avrebbe stesa sull'erba la prima ragazza che avesse incontrata. Sapeva di essere di gradevole aspetto, la pelosità non dispiace alle donne, e che l'impresa gli sarebbe riuscita senza troppi ostacoli. Con il consenso del Cardinale.

Libertà era una parola sospetta e rischiosa, così gli avevano insegnato, ma ora per la prima volta diventava la chiave di una nuova energica espansione dei suoi desideri. A un tratto, mentre gli occhi cominciavano a chiudersi su queste fantasie, gli risuonarono nelle orecchie i rintocchi lugubri delle campane a martello. Per quale disgrazia suonavano le campane a quell'ora di notte? Forse suonavano proprio per lui, per l'infelice Servo di Dio che aveva cancellato e sepolto ogni dignità da quando il Demonio era entrato nella sua vita. Servo di Dio o del Demonio? Che fosse o no indemoniato che importanza aveva? La sua vita era cambiata dal giorno in cui aveva dovuto confessare al Priore del Convento di via della Scrofa quella strana e inquietante anomalia degli sternuti.

Ma sì, la vita va affrontata e vissuta al meglio e non al peggio. Troppe ansie avevano deviato i suoi pensieri e turbato i suoi sentimenti. Il giovane Diacono si addormentò sognando di volare in compagnia di sei ragazze nude che gli danzavano intorno. Fra queste, con i lunghi capelli sciolti sulle spalle e gli occhi che emettevano fiamme di desiderio, gli venne incontro Teodora di Alessandria, Santa e peccatrice, lo prese per mano e lo condusse su una soffice nuvola di candida lana che fu il letto del loro amore.

Dopo il primo stupore per un consiglio così bizzarro, il Diacono dimenticò le tentazioni caotiche della notte e del giorno prima e si disse che proprio il Cardinale della Torre, uomo saggio e autorevole, suo protettore e amico, gli aveva offerto una ragionevole occasione per liberarsi da un macigno che da anni opprimeva il suo animo pavido e deperito. Ripercorse nella memoria una antica sofferenza, il sentimento più forte che avesse mai provato, quel dolore atroce e diverso da ogni altro che si chiama amore.

Si era innamorato di una ragazza durante una estate a Viterbo quando era ospite di un vecchio parroco che gli dava lezioni di latino prima di entrare in Convento. Quella ragazza bionda, sempre sorridente, con un viso infantile e smarrito, lo accompagnava dopo il pranzo di mezzogiorno a raccogliere le more lungo la stradina che portava alla canonica. Ma un giorno gli aveva detto che lì dove passavano i carri le more erano coperte di polvere e lo aveva accompagnato in un bosco dove non passava mai nessuno. Una proposta che lui aveva subito accolto con trepidazione e confuse speranze.

Davanti a un grande cespuglio di rovi la ragazza gli aveva dato la mano e lo aveva pregato di reggerla altrimenti sarebbe caduta in mezzo alle spine. E lui per reggerla meglio l'aveva presa per la vita. La ragazza aveva smesso di cogliere le more e si era voltata verso di lui guardandolo fisso negli occhi fino a quando si erano stretti in un abbraccio e si erano baciati. A quel punto avrebbe voluto trascinarla sull'erba, come la ragazza desiderava, quando gli comparve improvvisamente davanti agli occhi, sostituendosi al volto della bellezza e del desiderio, la maschera oscena del Demonio, e tutto intorno si era diffuso un odore nauseante di zolfo. Quella ragazza così attraente si era trasformata di colpo nella orrida figura di un caprone peloso e puzzolente. Il giovane Diacono avrebbe voluto percuotere, come facevano i Padri del Deserto, quella incarnazione del Demonio, che si era rivelato proprio mentre la ragazza si offriva ai suoi desideri, ma non ne ebbe la forza. Annichilito dagli spasimi della eccitazione, allontanò da sé con una spinta quel mostro venuto direttamente dalle spelonche infernali e si diede alla fuga.

Il Diacono Baldassarre si era vantato con se stesso

di essere riuscito a sottrarsi a un evidente tentativo del Demonio di travolgerlo nel peccato della lussuria e da quel giorno aveva dedicato tutte le sue ore all'apprendimento del latino, chiuso nella sua cameretta della canonica. Ma una sera era ritornato sulla stradina delle more e qui aveva rivisto la ragazza in compagnia di un giovanotto tarchiato e nero di capelli. Si era fermato a spiarli. Si parlavano sottovoce, si facevano delle carezze, si abbracciavano sotto i suoi occhi, senza più nessun segnale della presenza demoniaca. Sembravano orribilmente felici e innamorati.

Era stata dunque, la sua, una ridicola allucinazione, un errore dettato da una morale arrogante che segnalava ovunque la presenza del Maligno. Ecco, in quei giorni infelici aveva desiderato con furore di uccidere il rivale, era nato dentro di lui un odio, quello sì veramente diabolico, e un dolore atroce che gli saliva dalle viscere e gli infiammava il viso. Avrebbe facilmente impugnato un coltello per uccidere quel giovane che si era impossessato della ragazza che poteva essere sua. A tratti, nella sua immaginazione esaltata, avrebbe voluto uccidere anche lei.

Finalmente, per liberarsi da quella tentazione, il giovane Diacono aveva abbandonato il parroco e il suo latino per ritornare precipitosamente a Roma. Si era allontanato con orrore dall'abisso che aveva rasentato e da allora mai più nella sua vita era caduto in preda a simili delittuose tentazioni. E ora il Cardinale gli proponeva, invece dell'esorcismo aborrito, un peccato che poteva essere un risarcimento e una liberazione dal rimpianto di quella occasione mancata. Come poteva rifiutare un consiglio così suggestivo?

Non serviva gran che chiamare le prostitute con i nomi che avrebbero dovuto nobilitarne la professione: Primavera, Serena, Flora, Genodora, Mandolina, Imperia, Smeralda o addirittura Madonna Honesta come l'amante del Cardinale Romanelli. Mignotte sono e mignotte restano, si diceva il Diacono Baldassarre, anche se vanno in coppia con i Cardinali. Era dunque arrivato il momento per approfittare della libertà di cui usufruivano i suoi superiori in dispregio alle direttive emanate da Leone X.

La timidezza e la mancanza di denaro gli sconsigliavano di avvicinarsi ai lupanari rinomati, come il Bordelletto presso Santa Maria in Cosmedin dove si pagavano quattro carlini per l'ingresso, e così pure a quelli infimi di Arenula e di via delle Vacche presso la Pace gestiti da lenoni tedeschi e còrsi di notoria cupidigia, frequentati da gente di malaffare, dove si rischiavano i pidocchi e come niente anche il mal francese. Le due stufe in Piscinula, frequentate da nobiluomini e alti prelati, erano inavvicinabili per il prezzo di ingresso che correva sui quindici carlini.

Il Diacono sapeva bene dove si potevano trovare queste donne in libertà e a poco prezzo. Il maggior numero stazionava nel Rione di Campo Marzio fra il Pincio e il Tevere, quasi disabitato un tempo, ma popolato rapidamente dopo che Leone X aveva aperta la via Leonina, detta anche via di Ripetta. Da allora il luogo aveva preso il nome di Ortaccio e qui si erano ammassate in gran numero le prostitute romane che, secondo la letteratura che fioriva da tempo intorno a questa professione, venivano distinte in variegate categorie: meretrici, porche, puttane, mamole, curiali, cortigiane da lume, da candela, da gelosia, da impannata, donne di partito e della minor sorte. Francisco Delicado, letterato di gran fama, nominava Roma come "paradiso delle puttane, purgatorio dei giovani, inferno di tutti, fatica delle bestie, illusione dei poveri, covo dei furfanti", e distingueva ancora le domenicali, le bizzocche, le osiniane, le ghibelline.

Al Diacono non importavano tanto le illusorie categorie del meretricio se non per curiosità speculativa, ma bazzicò in quei luoghi malfamati alla ricerca di una giovinotta che somigliasse il più possibile alla ragazza di Viterbo, che in nessun modo era riuscito a cancellare dalla sua memoria.

Sulla via del Popolo le puttane della minor sorte stavano in mostra sedute davanti alle porte di casa, nella parte in ombra della strada. Il passaggio del giovane Diacono le eccitò a esibire le gambe nude e qualcuna si scopriva il petto e gli lanciava baci e parole provocanti, che però ottenevano l'effetto contrario di intimidire il già timido Diacono. Una bellona impudentissima gli si avvicinò e cercò di prenderlo per mano e condurlo in casa, ma il Diacono riuscì a liberarsi e, inseguito dalle beffe e dagli sguardi delle altre ragazze della strada, volle allontanarsi subito da quel luogo.

Nelle stradine di Borgo, dove le bizzocche e le curiali avevano consuetudine con i pellegrini e i preti peccatori, trovò una offerta del peccato meno ostentata che all'Ortaccio. Le ragazze stavano anche lì sedute davanti alle case o affacciate alle finestre basse, ma sorridevano con inviti moderati e si mostravano con discrezione. Il giovane Diacono ebbe modo di osservarle a una a una, di scambiare qualche timido sorriso. Quando trovò una ragazza bionda e sorridente, con una espressione infantile e smarrita che gli richiamò alla memoria la ragazza di Viterbo, non ebbe bisogno di parole e non stette a domandarsi se fosse una bizzocca o una cortigiana da lume. Si intesero con uno sguardo e si avviarono insieme per una stradina in ombra verso una locanda perché, disse la ragazza, i fratelli l'avevano scacciata di casa.

La ragazza lo aveva condotto alla Locanda del Falcone dove alloggiavano botteganti e commercianti, candelottari e coronari che esercitavano i loro traffici con i preti, le confraternite e le puttane di Borgo.

Il Diacono si avventurò in una soffitta sgangherata al seguito di quella ragazza ignara che aveva acceso i suoi rimpianti viterbesi. La vecchia che li aveva condotti fino alla porta della camera disse che doveva uscire e si avviò zoccolando giù per le scale. Il Diacono strinse a sé la ragazza per baciarla ripetendo come in un copione immaginario i gesti mancati di quella lontana giornata di settembre nella campagna di Viterbo.

«Possiamo metterci sul letto» disse la ragazza dopo quel bacio da innamorati che aveva attribuito alla timidezza del giovane frate.

«Per piacere mi dici come ti chiami?»

«Mi chiamo Margherita ma tutti mi chiamano Margotta, che fa rima con mignotta. E tu?»

Il Diacono esitò un momento.

«Baldassarre. Non sempre i nomi si adattano alle persone.»

«Invece ti sta bene, mi suona giusto. Sei il primo Baldassarre che conosco.»

«Anche Margotta è una novità per me.»

Il Diacono cominciò a spogliarsi lentamente deponendo i neri indumenti su un divanello di paglia insieme a quelli della ragazza. Quei vestiti disposti l'uno sull'altro gli dettero il brivido della contiguità misteriosa dei sessi, ma i suoi pensieri rincorrevano, con rancore e con amore, l'immagine ossessiva della ragazza delle more. Si concentrò su quella immagine campagnola, chiuse gli occhi e li tenne chiusi fino a quando, riaprendoli, si trovò in piedi tutto nudo e vide la ragazza distesa sul letto, anche lei nuda con i lunghi capelli sciolti ad arte sul cuscino. Per un momento si lasciò prendere dal panico, era la prima volta che si trovava in una situazione così naturale, ma così difficile per chi era arrivato a ventiquattro anni senza avere mai commesso il glorioso peccato di Adamo. Trovò un aiuto imprevisto quando gli comparve davanti agli occhi della memoria quel disegno osceno della sua cella che tante volte aveva eccitato i suoi sensi. Era quella l'immagine della verità?

La ragazza aveva capito subito l'inesperienza del giovane Diacono e non volle esibire il suo repertorio di fantasie erotiche per non spaventarlo. Lo strinse a sé con sospiri e lamenti e lo aiutò nella condotta dell'atto amoroso con mano discreta e una partecipazione che pareva sincera.

Alla fine, ancora ansimante per il travaglio amoroso, Margotta domandò se gli era piaciuto. Il Diacono rispose che gli era sembrato di correre su una carrozza ben molleggiata e che alla fine aveva creduto di volare. La ragazza rise a quelle parole così nuove e strane.

Ritornò alla mente del Diacono, ancora frastornato dopo l'estasi amorosa, la frase scritta su quella pergamena mutilata da un topo, "Demonstratio absoluti stat cum evidentia...", e si domandò se per caso la dimostrazione dell'assoluto non fosse proprio l'estasi dell'amore, l'atto fisico dell'amore con la sublime dilatazione della coscienza, l'annullamento di ogni riferimento reale, l'identificazione con un universo senza tempo. Nella squallida cameretta della Locanda del Falcone, nell'amplesso con una giovane bizzocca, si era dunque rivelata la soluzione di quella misteriosa proposizione?

Il Diacono venne distolto da quel pensiero dalla voce divertita di Margotta.

«Correre su una carrozza e poi volare: non ho mai sentito una cosa così buffa e così strana.»

Si abbracciarono di nuovo e lei gli domandò se l'avrebbe cercata ancora.

«Mi piace volare con te, ma non saprò dove trovarti perché questa non è la tua casa.»

La ragazza lo guardò con un'ombra di malinconia perché sapeva che non avrebbe più rivisto quel Diacono timido e pensieroso.

«So già che non mi cercherai. Nessun prete ritorna da me una seconda volta. E poi non ho una casa dove puoi trovarmi, dormo un po' da una parte e un po' dall'altra. Ma potresti chiedere mie notizie a Zenaide, la strega del Malpasso.»

«Una strega?»

«È amica mia, mi protegge e mi aiuta quando ho bisogno. È una donna generosa. Trova una sistemazione alle concubine, procura aborti, combina matrimoni, presta soldi alle puttane, ma il suo mestiere è di fare le fatture. Fatture d'amore e di morte. Vai da lei e chiedi di Margotta, lei sa sempre dove mi trovo.»

«Hai detto che fa le fatture?»

«È potentissima con le fatture. Può far morire uno a cento miglia di distanza. Per questo tutti la temono e la rispettano.»

«Non mi stai prendendo in giro?»

«Ma no, Zenaide la conoscono tutti.»

«E sta nel vicolo del Malpasso hai detto?»

«Sul portone c'è appesa una catena dipinta di nero. Lei sta lì, il palazzetto dove abita è tutto suo. Ma ti vedo molto incuriosito. Hai qualche nemico che vuoi vedere morto?»

«Io no.»

«Già, tu sei un frate, non puoi odiare nessuno. Però adesso sai come trovarmi quando vuoi andare in carrozza.»

Il Diacono le sorrise mentre la ragazza divideva i suoi indumenti da quelli del Diacono messi insieme alla rinfusa sul divanello di paglia. Invece di darglieli perché si rivestisse, Margotta aprì la finestra e li lanciò fuori con un gran gesto.

Il Diacono balzò giù dal letto.

«Ma che cosa fai?»

«Ho buttato i tuoi vestiti dalla finestra. Sono caduti sul tetto di una casa dove è impossibile andarli a prendere.»

Il Diacono si affacciò alla finestra e vide i suoi abiti laggiù sparsi su un tetto.

«E adesso come ritorno a casa?»

«Devi ritornare a casa nudo. Faccio sempre così

con i preti che vengono a letto con me. Un mese fa ho buttato dalla finestra i vestiti di un monsignore. È tornato a casa nudo anche lui.»

Il Diacono la guardò senza capire.

«Mi hai messo nelle peste. Si può sapere che male ti ho fatto in nome di Dio?»

«Non ce l'ho con te. Te l'ho detto, faccio così con tutti i preti.»

Il Diacono stava lì in piedi, tutto nudo e disperato.

«Allora sei matta.»

«No, non sono matta, sono soltanto molto religiosa. In questo modo ti faccio fare penitenza per il peccato di lussuria. In fondo non sarà un gran sacrificio e dopo ti sentirai meglio, e non dovrai nemmeno confessarti.»

«Così hai rovinato tutto.»

«Mi dispiace per te, ma è un giuramento che ho fatto alla Madonna e io i giuramenti li mantengo. Non posso tradire la Madonna.»

Il Diacono prese il lenzuolo dal letto, ma la ragazza glielo strappò di mano.

«Non si può, non è roba mia.»

«Ti prego, non farmi uscire così nudo sulla strada.»

«È buio, e chi ti vede? Fortuna tua che sei nero e peloso come un bufalo.»

«Dammi almeno il lenzuolo. Te lo riporto domani.»

«No, devi rispettare anche tu il mio giuramento alla Madonna. Sei un prete.»

«Io non ti capisco» disse il Diacono con un groppo in gola «perché vuoi lasciarmi un cattivo ricordo?»

«Oltre alla Madonna» disse Margotta «sai un altro pensiero? Te lo spiego: tutti quelli che vanno a letto con una mignotta se ne dimenticano subito. Se mi incontrano per la strada non mi riconoscono nemmeno, o si voltano dall'altra parte. Non c'è sentimento, non c'è memoria per le mignotte. Una scopata e via. Con questo sistema, che ho inventato io, sono sicura che non ti dimenticherai più di Margotta, resterò piantata come un chiodo nella tua memoria.»

Il Diacono capì che era inutile insistere. Uscì sbattendo la porta, scese di corsa le scale della locanda, arrivò sulla strada al buio e si mise a camminare rasentando i muri. Un cane randagio lo inseguì abbaiando. Il Diacono nudo fece di corsa tutto il tragitto da Borgo a piazza dell'Oro, saltando sulle buche e i mucchi di mondezza e pregando in continuazione per impedirsi di bestemmiare, sempre inseguito dal cane. I pochi passanti che incontrò sulla strada girarono alla larga credendolo un pazzo o un appestato scappato dall'ospedale.

I due gendarmi della sorveglianza notturna davanti alla Casa del Cardinale gli sbarrarono il passo, ma dopo averlo riconosciuto lo fecero entrare senza capire quale accidentale turcheria lo avesse ridotto in quella condizione. E non osarono fare domande nonostante lo stupore e la curiosità. Poi scacciarono a pedate il cane che voleva inseguirlo anche dentro la Casa del Cardinale.

Il Diacono fece le scale volando e andò a rinchiudersi nella sua camera dove si infilò dentro al letto, sconvolto ma felice di questa avventura. Aveva ragione Margotta: il suo nome gli sarebbe rimasto piantato come un chiodo nella memoria. Però, si disse, ci sono persone che hanno in regalo dal Cielo tutti i piaceri della vita, grandi e piccoli, e altre come me che devono pagarli sempre, fino all'ultimo carlino.

Allora, Santa Teodora, pare che il peccato sia, se non proprio la strada maestra, una delle possibili strade verso la santità come attesta anche Jacopo da Varagine quando racconta il tuo adulterio. Io però voglio dirti che la santità è lontana dai miei desideri e mi accontento di guadagnarmi un soggiorno temporaneo in un angolo del Purgatorio. Come tu avrai visto dall'alto dei Cieli, ho commesso un peccato per liberarmi da un lontano peccato che non ho avuto il coraggio di commettere. Ho sempre saputo che le donne sono matte, ma la loro follia mi piace anche quando mi costringe ad attraversare la città tutto nudo. Dopo l'incontro con quella gaglioffa non ho più nei tuoi confronti quel sottile sentimento di invidia e quasi di rancore di cui ti sarai accorta durante i nostri incontri notturni. Invidiavo il peccato che avevi consumato di notte con il tuo amante, non la tua santità. Ora capisco come tu possa avere ceduto alle lusinghe di quell'uomo che ti prometteva un piacere nuovo e diverso dalle stanche carezze del marito. Sarà stato il Diavolo che ha deciso di produrre il tuo adulterio, d'accordo, ma credo che non avrà dovuto faticare tanto per convincerti, e io ti sono più vicino ora che ho provato anch'io il piacere alto e strano dell'amore. Ho detto a quella giovane mignotta che mi è sembrato di andare in carrozza e poi di volare, e lei si è messa a ridere. Poi ha gettato i miei vestiti dalla finestra, ma che mi importa? L'unica cosa che mi dispiace in questo momento è di non averti qui nel mio letto, nuda come quella folle bizzocca che ho incontrata nella strada di Borgo.

Ti ho fatto le mie confidenze ma ora dovrò affrontare l'infelice situazione che tu sai. I miei sentimenti sono esauriti, i miei pensieri corrono altrove. Addio Santa Teodora e lasciami sognare di averti nel mio letto nei momenti dello sconforto e della solitudine.

X

La colazione mattutina del Cardinale Cosimo Rolando della Torre si componeva di una ciotola di latte cagliato, una concolina di miele di castagno, due fette di pane abbrustolito, una tazza di infuso d'orzo e due susine, il tutto ben disposto su un vassoio d'argento. Il Cardinale aveva già versato due cucchiai di miele nell'infuso d'orzo e lo stava mescolando con cura, quando bussò alla porta e si presentò sulla soglia il giovane Diacono Servitore di Camera. A un cenno del Cardinale si avvicinò umilmente al suo tavolo.

«Auguro una buona giornata a vostra Eminenza.»

«Gli auguri fanno comodo a tutte le ore e in tutte le stagioni e perciò ti ringrazio.»

Il Cardinale continuò a rimescolare l'infuso d'orzo aspettando che il Diacono parlasse. Dovevano essere argomenti non da poco se si era presentato da lui a quell'ora sapendo che lo avrebbe trovato solo.

«Vostra Eminenza ha ben dormito?»

«Non si vede che ho fatto un buon sonno e che sono ben disposto ad ascoltarti? Spero che non sarai venuto a farmi il racconto delle tue avventure notturne. Provocheresti soltanto la mia invidia, e questo non sarebbe gentile.»

«Non so parlare di quelle cose, Eminenza.»

«Ma spero che tu le sappia fare.»

«Ho commesso un bellissimo peccato per merito vostro, Eminenza, e ve ne sono riconoscente.»

«Mi è stato detto però che sei ritornato a casa nudo.»

Il Diacono arrossì di vergogna.

«Non devi vergognarti, è successa la stessa disavventura anche a illustri personaggi della Curia Romana. Non te ne ha parlato quella bizzocca?»

«Sì, Eminenza. Ma è successo qualcosa di simile anche a un ragazzo che seguiva Gesù nell'Orto di Getsemani, secondo il Vangelo di Marco. Per ragioni diverse e in situazioni diverse sono cose che succedono.»

Il Cardinale deglutì due o tre volte per nascondere lo stupore per quella allusione a un suo rovello biblico, a un dubbio interpretativo che riteneva segretissimo. Meglio non raccogliere quella battuta ispirata, si disse, dalla suavis clericorum malitia del giovane Diacono, e proseguire piuttosto il discorso sulla bizzocca di Borgo.

«La conoscono tutti a Roma. Non potevo immaginare che la tua scelta andasse a cadere proprio su di lei. Ma per la verità dicono che sia lei a scegliere i suoi clienti e che abbia una netta preferenza per i preti.»

«Dice che ha giurato davanti alla Madonna di fare scontare ai preti che vanno con lei il peccato della fornicazione. Non c'è via di scampo.»

«Le prostitute sono quasi sempre molto religiose, ma spesso confondono i ruoli e pretendono di punire i peccati degli altri dimenticando i propri.»

«È stata una esperienza utile.»

«Che ti piacerebbe approfondire, è così?»

«Con il vostro permesso, Eminenza.»

«Sei venuto per questo?»

«No no, volevo parlarvi di un'altra cosa.»

Il Diacono prese un avvio lento e prudente per introdurre l'argomento che gli stava sulla lingua da quando aveva parlato con la ragazza Margotta.

«Ho sentito qualcuno dire che Dio è il Re dei Cieli e Satana il Signore del Mondo, che Dio e Satana sono ugualmente potenti e hanno ora l'uno e ora l'altro il sopravvento. Che bisogna capire in quale momento è in vantaggio Dio o Satana e che conviene allearsi con il vincitore del momento. Ho udito questa proposizione eretica da un Diacono del mio Convento che ha studiato insieme teologia e stregoneria. Volevo sentire che cosa ne pensa vostra Eminenza.»

«Hai nominato insieme l'eresia e la stregoneria. È una mistura che ha portato sul rogo molti cattivi cristiani. Oggi c'è tolleranza per quanto riguarda i pensieri purché i comportamenti non danneggino il magistero della Chiesa. Satana è il Signore del Male e noi non possiamo impedirgli di venire fra noi, ma quando ci troviamo al suo cospetto dobbiamo fare il possibile per scacciarlo o per usarlo a vantaggio nostro.»

«Così fanno le streghe» disse il Diacono.

«Non solo le streghe.»

«E chi altro? Si dice che il Diavolo sia molto astuto e perciò mi riesce difficile immaginare che qualcuno riesca a piegarlo alla propria volontà e ai propri desideri. Per riuscire in una impresa così difficile bisogna avere la scienza della stregoneria o la benedizione della santità.»

«Mi pare che tu non sia né un santo né uno stregone, eppure sei riuscito a imporre al Demonio un peccato scelto da te e non da lui.»

«Scelto da voi, Eminenza, con umana generosità.»

Il Cardinale sorseggiò il suo infuso d'orzo, si concentrò come se volesse approfondire la conoscenza di quella bevanda dolcificata per avviare gradevolmente la sua giornata. Finalmente volse lo sguardo al giovane Diacono e gli parlò con voce velata come se volesse fargli intendere che le sue parole venivano da una saggezza lontana e da una sua intima convinzione.

«Certi gesti vengono condannati dalla Chiesa e dalla morale cristiana, ma il Demonio non sottostà a queste leggi. Il Vangelo predica l'amore per il prossimo, ma perdona anche i gesti di forza quando vengano esercitati a difesa di se stessi o della propria religione.»

Il Diacono intervenne timidamente.

«I gesti di forza sono dei peccati.»

«Da dove ti viene tanta sicurezza? Allora ti potrei citare il Vecchio Testamento quando dice occhio per occhio, violenza contro violenza.»

«Se dovessimo prendere alla lettera il Vecchio Testamento» disse il Diacono «le occasioni di vendetta sono tante che si rischierebbe di diventare tutti ciechi, o guerci.»

Occhio per occhio: il Cardinale sorrise appena alla prospettiva di una umanità cecata e guercia.

«La cosa più saggia è di agire a buon fine e con i mezzi più convenienti. Quando poi una azione si possa ragionevolmente attribuire a Satana, che sia o no Signore del Mondo, converrà agire senza esitazione come hanno sempre agito i guerrieri al servizio della Chiesa.»

Il Diacono cominciò a insospettirsi.

«Non tutti hanno l'animo del guerriero, Eminenza.»

«Tu no, ma il Demonio che è in te può agire al posto tuo.»

«Non so che cosa intendete dire, Eminenza, ma a me ripugna sottomettermi alle officine di Satana per compiere azioni disoneste. Io ho seguito il vostro consiglio proprio per sottrarmi ai suoi malefizi.»

«Poco fa mi hai domandato se ho ben dormito e io ti ho risposto di sì, ma non ti ho detto che, dopo molte notti in cui il mio orecchio era teso ad ascoltare ogni lieve rumore nemico, ho ingerito un infuso di giusquiamo e sono andato a letto con la testa piena di vapori. E la paura mi perseguita anche durante il giorno producendo emicranie e malinconia. Perciò ho adottato antichi artifizi cinesi per controllare il sonno pomeridiano in questa Casa di gente pigra e sonnolenta. Vedi che parlo di paura senza vergognarmene. Ogni passo che si avvicina mi fa sobbalzare e da ogni porta che si apre temo di vedere apparire la figura di un sicario. Ogni ombra è per me un segnale di pericolo. Non ho pace nella mia Casa, ma sulla strada pubblica addirittura rischierei la vita a ogni passo. Un tempo i sicari pretendevano lauti compensi, ma oggi mi dicono che si accontentano di pochi ducati e molti di essi agiscono solo per il piacere di uccidere. Dovrei accettare passivamente questo stato di rischio mortale? Dovrei rinunciare a difendermi? O devo ricorrere ogni giorno agli artifizi cinesi e alle medicine stupefacenti per avere un finto riposo e una provvisoria pacificazione dell'animo?»

«Capisco la vostra ansietà, Eminenza, ma purtroppo non ne conosco i rimedi.»

«Mi hai detto poco fa che non sei un guerriero e che detesti qualsiasi gesto di forza. Ma credi che anche Satana sia vittima dei tuoi stessi tremori e che non sia in grado di combattere e annientare chi attenta alla mia vita?»

«Io non riuscirò mai a imporre la mia volontà a Satana, Eminenza, ma forse c'è qualcuno che può guidare Satana o altre entità diaboliche contro i vostri nemici per annientarli e restituirvi alla pace.»

Il Diacono rimase in silenzio aspettando che il Cardinale mostrasse qualche interesse alle sue parole.

Il Cardinale alzò appena gli occhi, poi continuò a bere il suo infuso d'orzo, sempre muto, mentre da fuori arrivavano i richiami striduli di un pescivendolo e la cantilena di una venditrice di lupini. Il Cardinale taceva ancora e il Diacono capì che era arrivato il momento di fare la sua proposta.

«Quando vi ho riferito quel discorso eretico e ho chiesto il vostro parere, voi mi avete parlato di tolleranza. Questo mi incoraggia a esprimere un pensiero: rivolgersi a Satana nei momenti in cui prevale sulle forze del Bene sicuramente è un gesto di stregoneria, ma può anche essere un mezzo per approfittare di lui e fargli compiere quelle azioni che ripugnano a noi cristiani. Mi pare che questo sia anche il vostro pensiero.»

«Ti sto ascoltando.»

«Volevo parlarvi di una strega, Eminenza. Sono venuto a quest'ora del mattino proprio per questo.»

Il Cardinale lo guardò sorpreso e incuriosito. Quale altra bizzarria stava per raccontargli il suo Servitore di Camera? Lo invitò alla confidenza.

«Perché circondi di parole inutili ciò che vuoi dirmi? Puoi esprimerti liberamente.»

«Pare» disse il Diacono con affanno «che nel vicolo del Malpasso tenga la sua officina una strega esperta nelle fatture. Voi sapete che le streghe tengono commercio con Satana e per suo mezzo riescono a operare i loro malefizi. Io non so comandare a Satana, ma quella donna forse ci riesce. Le mie informazioni la dicono esperta in cose gravi come discordie amori odi seduzioni ferimenti morti esequie lamentazioni ricognizioni nozze pianti sottomissioni incendi tempeste giostre contagi ordinanze legamenti furti naufragi distruzione di cose e di persone e tante altre cose terribili e commiserevoli. Una strega potente. Con il vostro permesso è a lei che pensavo di rivolgermi per tentare di liberarvi dai vostri nemici.»

«I miei nemici? Non pensare che si tratti di un esercito. Ti ho parlato poco fa di qualcuno che attenta alla mia vita e tu stesso hai constatato che da qualche tempo io vivo come un prigioniero nella mia Casa. Penso che tu sappia a chi mi riferisco.»

«Lo sa tutta Roma, Eminenza.»

Il Cardinale non si scompose a quella affermazione.

«Tu agirai di tua volontà senza che io venga coinvolto in imprese di cui non ho esperienza e che non si addicono all'abito che indosso.»

Il Cardinale abbassò gli occhi sulla ciotola di latte cagliato.

«I saggi indiani» disse «insegnano a masticare l'acqua, e davvero mi sembra una sproposizione, ma su quella strada io ho imparato a masticare il latte cagliato. Il cibo è morbido ma sostanzioso, e sicuramente i saggi che ho nominato intendono dire che non è la materia ma la sua sostanza che conviene masticare.»

Il Cardinale cominciò a masticare un primo cucchiaio di latte cagliato, poi un secondo e un altro ancora alzando ogni tanto gli occhi sul Diacono che assisteva in silenzio e sempre in piedi a quel singolare esercizio.

«Non ho capito a che cosa vi riferite con questa parabola, Eminenza.»

«A niente. Era soltanto un diversivo per alleggerire il nostro dialogo, un espediente retorico sul vuoto, come masticare l'acqua.»

Il Diacono lo guardò perplesso. Poi provò a masticare a bocca vuota.

Il Cardinale se ne accorse.

«Che cosa fai?»

«Provo a masticare l'aria.»

Il Cardinale lo guardò con aria interrogativa.

«È solo un modo per distrarmi, Eminenza, sono un po' agitato.»

«Posso dirti che la stregoneria non è nominata fra i Sette Peccati Capitali. Questo ti dà sollievo?»

«Ma quando le streghe firmano un patto con il Diavolo significa che si schierano dalla sua parte contro il Dio del Cielo e della Terra. Per questo sono venuto a chiedere il vostro permesso.»

«Solo le streghe che partecipano ai Sabba e ai riti di Satana sono in peccato mortale secondo le leggi della Chiesa. Le fatture vengono catalogate come superstizione e perciò si esita a condannarle come peccati. Intorno all'Anno Mille le streghe avevano fama di donne allegre che si riunivano in festose brigate e, cavalcando strani animali, si recavano a danze e conviti sotto la guida di Martinello, un diavoletto con figura d'uomo e coda di serpente che si muoveva in groppa a un cavallo pallido. Solo più tardi è cambiato l'atteggiamento della gente nei confronti delle streghe e di conseguenza anche quello della Chiesa. L'epoca dei roghi non è ancora chiusa, ma da tante parti oggi prevale una corrente di pensiero tollerante che considera le streghe soltanto delle povere donne un po' esaltate che cercano di tenere a bada il Demonio.»

«In un certo senso» disse il Diacono «le streghe sottomettono Satana ai loro voleri con le lusinghe, le invocazioni, le fruste verbali e le formule magiche e si servono di lui per i loro malefizi, che possono essere indirizzati anche contro persone cattive o pessime. Avete detto voi stesso più di una volta che conviene piegare Satana alle nostre necessità.»

Il Cardinale rivolse al Diacono uno sguardo di approvazione.

«Non sono io ma è la saggezza della Chiesa che suggerisce di usare ogni mezzo nella prospettiva del bene, perfino la cieca autorità, la condanna intuitiva, l'esecuzione indiziaria, la stregoneria. Addirittura alcuni Papi vennero accusati, non so se a torto o a ragione, di stregoneria: Silvestro II, Benedetto IX, Leone III, Gregorio VII e altri che non ricordo. La virtù e il peccato hanno molte misure e la eliminazione di una persona malvagia non sarà mai un delitto. Così come non sarà mai un delitto godere dei piaceri della vita mondana se questi piaceri rinforzano l'animo e ci permettono di operare contro le malvagità del mondo. Non tutti possono predicare e agire avendo la pancia vuota come il folle Santo Francesco, che Dio lo protegga. Se qualcuno vuole venire dietro a me, rinneghi se medesimo, prenda la sua Croce e mi segua, così dice Francesco. Ma perché rinnegare noi stessi? Da dove viene questa presunzione di colpa? Quel santo uomo ha camminato sull'orlo dell'eresia con le sue penitenze, con le sue vessazioni spirituali e corporali. Non è da tutti raggiungere la perfetta letizia tormentato da una moltitudine di topi come si racconta nei *Fioretti*. È dimostrato che altri in quelle condizioni si avvelenano l'anima e il corpo e non sono in grado né di predicare, né di pregare il Signore Iddio, né di agire a profitto della Chiesa. Dunque devi agire secondo i tuoi sentimenti e con animo sereno non perché sono io che ti do consigli ma perché i consigli, i suggerimenti e, quando occorresse, il perdono, ti saranno dispensati dal magistero della Chiesa per mezzo dei suoi Ministri e in conformità alla sua secolare esperienza e saggezza.»

Il Diacono Servitore di Camera fece un inchino e si allontanò con passo leggero e l'animo sollevato dal peso dei suoi dubbi. Fece pochi passi verso la scala per scendere nelle cucine a bere la solita tazza di latte freddo con la quale apriva la sua giornata, poi si volse indietro e di nuovo si affacciò allo studio del Cardinale, che fu stupito di vederlo ricomparire.

«Eminenza vi chiedo perdono, ma io temo che rivolgersi a una strega per chiedere la collaborazione di Satana sia un gesto di superbia e un oltraggio alla religione. Un umile Diacono solo a Dio dovrebbe rivolgere le sue suppliche e le sue preghiere. Ditemi voi con quale animo potrò accedere al Santo Sacramento della Confessione e chiedere l'assoluzione.»

«Sarò io stesso a confessarti.»

«E mi darete l'assoluzione?»

«Ti darò l'assoluzione se il tuo pentimento sarà sincero e se ti avvicinerai al Sacramento con la buona disposizione dell'animo che si richiede per ottenere il perdono. Ma non ti posso promettere nulla prima che tu abbia commesso il peccato e ti sia pentito di averlo commesso.»

«Così sarà fatto, Eminenza.»

Il Diacono fece un leggero inchino e si allontanò per la seconda volta mentre il Cardinale spalmava sul pane abbrustolito il miele amaro dei Monti Cimini.

XI

Donna Zenaide, la maga del Malpasso, aveva accolto il Diacono Baldassarre al piano terreno del suo palazzetto, seduta su un alto sgabello in una lugubre stanzetta drappeggiata di nero, senza finestre e illuminata con una candela anche di giorno. Gli aveva dunque spiegato che gli alti prelati, con tutte quelle Croci che portano sul corpo, difficilmente cadono vittime delle fatture. Bisogna agire con forte volontà e con le perizie e sostanze del caso perché Satana può mettersi in ozio se non ha a sua disposizione tutta l'apparecchiatura richiesta, con il rischio di fallire l'impresa.

«Satana è vanitoso, ci tiene molto al suo prestigio. Qualche volta è burlone e iperbolico» disse Zenaide «ma non è facile indovinare i suoi umori. Se si arrabbia sono guai. È come un Re che noi sudditi dobbiamo trattare con riverita forma anche quando a lui gli va di scherzare. Qualche mese fa è stato qui da me un altro frate per una fattura e Satana mi ha mandato per aria la sottana soffiandomi tra le gambe. Lui lo sa che io non porto niente sotto. Mica per niente lo chiamano il Maligno.»

Satana burlone era una novità per il Diacono. Il

quale si augurò che gli venisse risparmiato lo spettacolo delle nudità di Zenaide. Altri erano i suoi pensieri.

Dunque che il Diacono preparasse una statuetta di cera il più possibile somigliante alla vittima e che portasse anche una ciocca di capelli e un indumento. Si trattava di un Cardinale? E allora che si procurasse un suo cappello, simbolo inequivocabile della persona e dello stato gerarchico. Più un ducato d'oro come onorario.

«Non posso fallire un incarico di questa portata» spiegò la maga, «anch'io devo difendere il mio prestigio. Un Cardinale oppone a Satana maggiore resistenza di un Vescovo e molta più di un semplice Canonico.»

«È una impresa difficile?» domandò il Diacono.

«Presto dovrò mettere in opera tutti i fuochi e le saette che tengo in possesso per ridurre in cenere il Papa fiamengo. Quella sarà una impresa veramente difficoltosa.»

Il Diacono rimase a bocca aperta.

«Ho già avuto una dozzina di richieste per conto di Cardinali e Monsignori» disse ancora Zenaide «ma tanto che è in viaggio sul mare non posso far niente. Devo aspettare che arrivi a Roma e si metta seduto. In ogni caso ci vorrà del tempo, un anno, due anni, brandello a brandello, giorno per giorno con una speciale procedura del fuoco. Ma penso che ci riuscirò.»

Zenaide si mise una mano sulla bocca come se si fosse pentita di avere parlato troppo.

«Lo hanno eletto e poi lo hanno subito odiato» disse il Diacono.

«Credo che passeranno almeno cinque secoli prima che un altro Papa straniero venga a sedersi sul seggio di Pietro.»

«Fate anche le profezie?»

«Satana mi dà qualche notizia del futuro quando ne ha la fantasia. Ma adesso veniamo ai soggetti nostri. Ho scelto la mezzanotte perché spero che a quell'ora il nostro uomo sia a letto senza Croci addosso, mentre Satana è al massimo della sua potenza. Ci rivediamo fra sei giorni quando la luna piena farà chiara e luminosa la notte.»

Il Diacono si era subito rivolto alla sorella e la sorella si era rivolta a Nereo, un suo amichetto che frequentava la Casa del Cardinale Ottoboni come servitore avventizio, perché gli procurasse una ciocca di capelli del Cardinale come richiedeva la maga. Anche un suo cappello cardinalizio occorreva perché la fattura avesse effetto. Tutto in gran segreto s'intende, per non rischiare di incorrere nelle vendette degli uomini del Cardinale, circondato e protetto da severi gendarmi e come tutti sospettoso in quel periodo di selvaggio disordine. Nereo aveva posto una prima difficoltà: il Cardinale Ottoboni aveva pochi e radi capelli.

«Possono servire i peli della barba?» aveva chiesto il ragazzo, eccitato dalla promessa di una manciata di monete per il servizio.

«Certamente sì, i peli della barba valgono quanto i capelli» aveva proclamato la strega del Malpasso al Diacono che l'aveva subito interpellata.

La Casa del Cardinale Ottoboni era tutta assopita nell'afa pomeridiana e Nereo si muoveva lesto e silenzioso. Nel magazzino delle biancherie si era impossessato di un paio di forbici che aveva nascosto sotto il corpetto. Poi si era affacciato allo studio del Cardinale e lo aveva trovato seduto su uno scranno che russava faticosamente con la testa reclinata sul petto. Senza perdere tempo era entrato subito nella stanza a piedi nudi muovendosi con la leggerezza di un folletto, invocando tutti i Santi del Cielo perché non si ridestasse.

Ma quando gli fu vicino, il ragazzo ebbe la brutta sorpresa di trovarlo con la barba totalmente rasata. Non si arrese per questo, ma dovette girargli intorno per poter tagliare un ciuffetto dai capelli radi dietro le orecchie. Peluzzi corti e sottili che raccolse nel palmo della mano. Poi scappò via di corsa.

Impossibile invece trafugare il cappello cardinalizio. Tutto il prezioso vestiario del Cardinale era custodito da un severo Guardarobiere in un magazzino al quale potevano accedere soltanto il Sarto della Casa per le riparazioni e i rammendi, e le donne dello stiro.

Il Diacono, informato di questa difficoltà, si domandò che cosa avrebbe detto a Zenaide.

La maga fu perentoria. Si tratta di un Cardinale? Che io abbia dunque il cappello cardinalizio, altrimenti non si può procedere con la fattura. Il cappello era un elemento indispensabile che doveva dare una qualifica simbolica alla fattura, un simbolo dell'alta autorità della vittima che andava aggiunto alla statuetta di cera e ai capelli.

Il povero Diacono sapeva con certezza che se falliva il suo tentativo si sarebbe trovato, con il Cardinale della Torre, in una situazione piena di insidie e portatrice di rischiose gravità.

Una mattina il Diacono era andato al lavatoio di Ripa Grande sul Tevere a reclutare due lavandaie per la Casa del Cardinale. Lì aveva incontrato la maga, subito riconosciuta fra le altre donne per i lunghi capelli color zafferano che scendevano sulla nera palandrana. Zenaide si intrigava con le lavandaie per storie di amori, aborti, seduzioni, promesse di matrimonio, tradimenti, una catena di trame di ogni sorta come gli aveva spiegato la ragazza Margotta. Non visto, aveva spiato questi traffici meschini e aveva notato qualche moneta di rame scivolare nelle sue mani e anche qualche pezza di lino e qualche cartoccio di pesce secco. Che delusione assistere a tutto quel tramestio di donnette intorno alla maga che, di fronte a lui, assumeva gran pompa di gesti e di parole.

Il Diacono avrebbe voluto avvicinarla e domandarle se era proprio indispensabile il cappello del Cardinale Ottoboni, oppure se per caso si potesse sostituire con i suoi guanti, le sue calze, una sua mantellina, un paio di pantofole, insomma qualche altro indumento che forse sarebbe riuscito a sottrarre alle guardarobiere della Casa. Avrebbe voluto insistere, dal momento che era così difficile mettere le mani sul cappello cardinalizio, ma poi aveva preferito allontanarsi da Ripa Grande senza parlare con la maga per non esporsi alla curiosità di quelle donnette ciarliere. La fattura andava fatta con la massima segretezza per non coinvolgere il Cardinale della Torre e lui stesso. Si disse che la cosa migliore era di affidarsi alla Provvidenza, ma subito si rese conto che non era il caso di sperare che la Provvidenza venisse in soccorso di una fattura da compiere nel nome di Satana.

Al ritorno da Ripa Grande aveva preso i sentieri lungo il Tevere indugiando ad ascoltare il gracidare delle rane nelle pozze morte e lo sciacquettare qua e là delle lavandaie che si attardavano alle vasche con le loro ceste di panni insaponati. Altre, finito il lavoro, si lasciavano trascinare dietro i cespugli dai ragazzi che venivano ad appostarsi sapendo che da quelle parti si potevano fare buoni incontri. Qualcuna faceva resistenza, ma alla fine cedevano tutte volentieri a quegli assalti malandrini, poi si ricomponevano i vestiti per presentarsi alla famiglia, qualche volta ai mariti traditi.

Il Diacono non voleva impicciarsi di quegli amori teverini e cercò di evitare nel suo percorso le coppiette avvinghiate sulla sabbia per tenersi alla larga da inutili tentazioni. Ma a un tratto si sentì assalito dal desiderio folle di possedere una dopo l'altra tutte quelle ragazze che si concedevano lì a terra come giovani capre ai loro amanti improvvisati. Il sangue gli salì alle tempie, gli offuscò la vista e lo fece tremare sulle gambe, ma volle convincersi contro ogni evidenza che, dopo l'amore con Margotta, doveva dedicare tutte le sue energie a difendere dai suoi nemici il Cardinale della Torre. Ma no, non si trattava soltanto del Cardinale. Per il tramite di una strega era in gioco il suo destino, la sua salvezza o rovina.

Quando arrivò alla Casa del Cardinale della Torre il Diacono attraversò l'androne d'ingresso sorvegliato dai due uomini armati presi a prestito dalla Gendarmeria Pontificia, passò nell'atrio prima di prendere la scala e da qui gettò l'occhio nell'anticamera dei Servizi di Guardaroba dove, su un grande tavolo, vide una montagna di vesti cardinalizie: il ferraiolo di seta e il mantellone da pioggia, un cuscino di velluto, il grande cappello rosso pontificale, la cappa, la zimarra da casa, alcune paia di guanti di seta, la veste talare nera con le orlature e i bottoni di porpora, le pantofole con la fibbia d'oro e le orlature rosse. Una montagna di vestiti che, approfittando della volontaria clausura del Cardinale, il Guardarobiere faceva arieggiare e forse sottoporre a qualche stagionale riparazione. Poco più in là su una panca vide il mantellone da viaggio e, sotto la porpora, il largo cappello nero con i cordoni e il fiocco rosso intessuto d'oro.

Senza troppo pensare il Diacono afferrò il cappello nero con il fiocco rosso e fece le scale di corsa fino alla sua cameretta senza incontrare nessuno della Famiglia. Depose il cappello sul letto e cercò di convincersi che la Provvidenza, ma no la Fortuna, aveva messo nelle sue mani il simbolo evidente e inequivocabile dell'autorità cardinalizia. Che cos'altro poteva rappresentare con tanta evidenza la presenza simbolica dei due contendenti? In realtà avrebbe dovuto sottoporre alla fattura il cappello del Cardinale Ottoboni, non quello di Cosimo Rolando che della fattura non era il destinatario ma il committente. Ma forse, si disse il Diacono, era sufficiente un simbolo cardinalizio generico dal momento che la fattura correva fra due Cardinali. Non aveva detto la maga che il cappello aveva soprattutto un valore simbolico? La designazione della vittima era segnata con chiarezza dal ciuffetto di capelli del Cardinale Ottoboni e dalla statuetta di cera. Decise dunque che avrebbe portato alla maga il cappello di cui era entrato in possesso come fosse quello del Cardinale Ottoboni. Per il momento lo nascose sotto il letto e lavorò a lungo per dare a un blocchetto di cera vergine le sembianze adipose della vittima.

La luna piena illuminava i passi del Diacono che si era incamminato con il suo fardello sotto il braccio lungo via Giulia, verso la casa di Zenaide. La maga, o strega, del Malpasso aveva la sua officina in una lunga stanza con la volta a botte al primo piano di un palazzetto che il Diacono, già la prima volta che era andato da lei, aveva riconosciuto subito dalla catena appesa sopra l'arco dell'ingresso esterno secondo le indicazioni di Margotta. Le pareti della stanza erano costellate di chiodi che portavano appeso ogni genere di amuleti e mercanzie propiziatorie: zampe di caprone, pannocchie di granturco nero, mazzi di erbe palustri, corna di capro, teschi di animali, mazzetti di penne di pavone, tibie e altre ossa umane, specchi frantumati dentro le loro cornici, statuette appese per il collo, figurine di cera trafitte dagli spilli, code di faina, lucertole disseccate, lumi di cimitero, cappelli e tabarri neri, collane di denti umani, mazzetti di capelli, corde a forma di cappio, pelli di serpente.

Il Diacono arrivò poco prima della mezzanotte come convenuto, avanzò lentamente nella penombra verso il fondo dello stanzone dove la maga, con indosso una lunga nera palandrana, una collana di pietre colorate intorno al collo e anelli brillanti a tutte le dita delle mani, lo aspettava immobile su un alto seggiolone coperto da una pelliccia di caprone che cadeva fino a terra.

«Non ti illudere» disse subito la maga «anche tu, come tutti gli esseri viventi di questo e degli altri mondi, ubbidisci alla potenza del mio Signore.»

Il Diacono rimase muto. Si domandò se per caso la maga sapesse o avesse capito che il cliente di quella notte portava un Demonio sotto le sue vesti di Chierico innocente.

«Mostrami ora le sostanze che appartengono alla persona che vuoi colpire con i fulmini mortiferi del Signore delle Tenebre.»

Il Diacono, deluso dalla solenne ingenuità di quel linguaggio, si accinse a mostrare i suoi oggetti, ma di nuovo dovette rassegnarsi ad ascoltare la maga che si esibiva roteando gli occhi in un primo richiamo propiziatorio.

«Eko eko azarak, eko eko zomelak!»

Su un tavolino davanti al trono della maga il Diacono depose un involto di tela e lo aprì mostrando il cappello cardinalizio, un pizzico di capelli grigi e la statuetta di cera che faticosamente aveva modellata, secondo memoria, sulla immagine del Cardinale Ottoboni. Poi estrasse dalla tasca un ducato d'oro che aveva ottenuto dal Cardinale della Torre.

«Quando Dio fece il mondo lo fece rotondo come questa moneta d'oro» disse la maga afferrando la moneta «ma il mondo non è d'oro come tu ben sai e il dominio su di esso rimane diviso fra Dio e il Signore delle Tenebre. È a quest'ultimo che noi ci rivolgiamo tremando. Se ho ben capito chiedi la fattura estrema. Sai che cosa intendo?»

«Ho sentito dire che siete una maga potente e io vi

chiedo il massimo impegno delle vostre facoltà contro il nemico di cui vi ho portato i capelli e l'immagine di cera.»

«L'impresa è difficile. I Cardinali sono ben protetti dalle Gerarchie Celesti. Mentre pronuncerò le formule magiche dovrai tu stesso impegnarti con tutte le tue energie mentali, dovrai sudare e tremare insieme con me perché i Sapienti dei Regni Profondi intendono le nostre parole e interpretano i nostri desideri, ma qualche volta sono renitenti ad agire contro un Canonico, soprattutto quando è di grado così elevato.»

Il Diacono frastornato fece un cenno di assenso generico.

«Come vi ho detto sono venuto per incarico di un'alta Gerarchia, ma mi dichiaro sprovveduto e smarrito di fronte ai vostri malefizi di cui non ho esperienza.»

«Agire contro un'alta Gerarchia a nome di una Gerarchia di pari grado dovrebbe facilitare la nostra impresa. Ho interrogato il primo Pentacolo, la Stella Bianca, e il secondo Pentacolo, la Stella Nera, e ho saputo che i Grandi Arcani ci sono favorevoli. Voltiamo dunque le spalle alla barba di Dio e camminiamo sopra l'Abisso di fuoco verso i nuovi cieli.»

Dalla Chiesa di Santa Maria dell'Orazione e Morte in via Giulia arrivarono i rintocchi della mezzanotte.

«Ecco» disse Zenaide «adesso possiamo incominciare. Il Demonio teme il suono delle campane, lo spuntare dell'alba, il canto del gallo, il segno della Croce, l'incenso e l'acqua benedetta. Le campane hanno suonato, possiamo incominciare, incominciamo.»

La maga prese il cappello cardinalizio e lo pose su un vassoio di rame che appena lo conteneva. Poi lo cosparse di un liquido alcolico. Prima di appiccarvi il fuoco prese la statuetta di cera, vi praticò un buco sul davanti con un coltello e vi introdusse i pochi capelli richiudendo la cera con le dita. Poi appiccò il fuoco al cappello cardinalizio deposto sul vassoio e, mentre il fuoco ardeva con molto fumo, infilò uno spillone nel collo della statuetta di cera recitando, con una espressione che voleva essere terribile, le brevi parole di introduzione tratte dal profeta Isaia.

«L'uomo forte diventerà stoppa e la sua vita una scintilla. Brucerà fino alla consumazione e non vi sarà nessuno in grado di spengere il fuoco e il fumo!»

Intanto il fumo del cappello che bruciava lentamente nel vassoio stava riempiendo la stanza. La maga riprese le sue invocazioni.

«Ad te unum et trinum Lucifer, per virginem Diana coelorum regina inter astra et nubila, tibi animam dedi et do ut mihi adjuvas in saecula saeculorum.»

La maga alzò gli occhi alla volta del soffitto, poi riprese l'invocazione.

«O immensa divinità che tieni lo scettro sopra le creature del cielo, della terra e delle acque, sommo Lucifer unum et trinum, io ti prego per i tuoni che reggi nelle tue mani e per le ali dei venti sui quali cammini, di ascoltare la mia orazione.»

Di nuovo la maga alzò gli occhi al soffitto e parve illuminarsi tutta estasiata.

«Ecco la piccola nube formata dall'alito bollente dei quindici cherubini e serafini neri!»

Il Diacono guardò anche lui al soffitto, scrutò l'aria della stanza, ma non vide niente.

La maga si fece il Segno della Croce a rovescio e con la mano sinistra, poi pronunciò una seconda formula di richiamo con una voce serpentina facendo rabbrividire il povero Diacono che non era preparato a quella commedia.

«Dies mies, jesquet benedo efet douvema enitemais.»

Poi attaccò una seconda invocazione magica.

«Sommo Lucifer, per i meriti di Beelzebuth tuo primo ministro, per i meriti della tenebrosa Flegetonta tua madre e sposa, et per meritis Davidis et Salomonis sanctorum regum et claviculae ejus, ad adjuvandum me festina.»

Dopo avere recitato lentamente con voce alta e strozzata la seconda formula, la maga Zenaide conficcò tre spilloni nel corpo della statuetta di cera. Un altro spillone nella gola, uno diretto al cuore, il terzo nella testa, facendo smorfie che dovevano apparire disumane ma che il Diacono osservava soltanto con stupore e diffidenza.

Il cappello continuava a bruciare. La maga vi gettò sopra la statuetta di cera che cominciò a sciogliersi e alla fine si infiammò illuminando la stanza con bagliori verdastri.

Mentre la cera si consumava, la maga si irrigidì tutta e allungò le mani davanti a sé aprendo le dita e restò così, immobile, con gli occhi spalancati nel vuoto, per lunghi istanti.

Il Diacono la guardava stupefatto, senza fiatare.

Quando la cera fu completamente consumata, la maga ritornò in sé, prese una bacchetta nascosta sotto il suo seggio, la tenne sospesa in aria per qualche istante, poi la batté per tre volte sul pavimento per licenziare Satana.

«Sic te obsecro cum virga virtutis! In nome del Padre, del Figlio e dello Spirito Santo, per Abramo, Isacco, Giacobbe, per tutti i patriarchi, i profeti, gli apostoli, i martiri, i confessori, le vergini e tutti i Santi di Dio, ritorna nelle spelonche da dove sei venuto!»

La maga rimase immobile e tesa, come in ascolto di voci lontane, poi fece una smorfia di disappunto.

«Non vuole andarsene!»

«Chi?» domandò il Diacono.

«Satana.»

Il Diacono incominciò a preoccuparsi e ad agitarsi dentro la tonaca.

«E se non va via come facciamo?»

La maga gli diede una occhiataccia.

«Se non va via, in primis sono cazzi miei. Una volta è rimasto qui fino all'alba, mi si infilava sotto i vestiti, davanti, di dietro, da tutte le parti. Tutti i buchi per lui sono buoni. Ma io non ci sto alle sue voglie.»

Il Diacono impallidì, preso dal panico alla prospettiva di dover rimanere lì con Zenaide fino all'alba.

«Riuscirete a scacciarlo?»

«Non lo so.»

La maga prese da una ciotola un granello di incenso e lo gettò nel piatto ancora fumante dove aveva bruciato il cappello e la statuetta di cera. Mentre il Diacono veniva preso da un convulso di tosse, impugnò ancora la bacchetta e questa volta la batté sul pavimento sei volte, si fece il giusto Segno della Croce e riprese con voce profonda e lontana, quasi un ululato, una seconda invettiva.

«In nome di Colui che i Cieli non possono contenere, per Colui che regge il coperchio del mondo, per Colui che fa fumare le montagne, che il profumo di questo incenso scenda negli abissi e salga in Cielo fino a Dio Onnipotente che ci salvi dalla collera del dracone famelico, e discacci Satana con i suoi satelliti e i suoi malefizi, incantesimi, segnature e fatture, lontano da questa casa, lontano dalla Terra, e ritorni nelle tenebre dalle quali è venuto in mezzo ai fumi di zolfo.»

«Che succede?» domandò il Diacono impaziente.

La maga chiuse gli occhi e si concentrò di nuovo ponendosi in ascolto per lunghi momenti. Il Diacono la osservava preoccupato.

«Allora?»

Finalmente la maga riaprì gli occhi con una espressione di sollievo.

«Se ne è andato!»

«Satana?»

«Sì, l'ho scacciato, ormai non ci serve più. La luna piena lo attrae, ma non sopporta il Segno della Croce e l'odore dell'incenso.»

La maga si alzò lentamente dal suo trono. La cerimonia era finita. Accompagnò il Diacono, ancora allibito da tutti quei maneggi e con gli occhi che gli lacrimavano per la tosse, lungo lo stanzone delle magie fino alla porta.

«Senti rumore di catene? La fattura è riuscita. Il grande Alfa si è manifestato in galatim galata.»

Il Diacono non sentiva nessun rumore di catene né d'altro. No, non si lasciava incantare da quella messinscena, ma sapeva che in tanti casi quegli strani sortilegi avevano avuto effetto e perciò si dispose alla fiducia.

«Mi darai tu la conferma che la fattura è riuscita.»

Il Diacono fece un cenno affermativo, salutò brevemente e prese le scale con passo leggero.

Sulla strada, mentre improvvisi lampi temporaleschi illuminavano il cielo, si lasciò guidare dalla notte, dal silenzio, dalla paura, dall'afa e dagli zoccoli francescani che lo portarono non già alla Casa del Cardinale ma verso la sua cella nel Convento di via della Scrofa.

Il giovane Diacono si tolse di dosso tutti i panni sudati, si sdraiò nudo sul pagliericcio della sua cella e poi spense la candela.

Santa Teodora di Alessandria, Jacopo da Varagine dice che il marito tuo temea Domenedio ed era uno ricco uomo. Che temesse Domenedio e che fosse ricco non mi basta sapere. E dell'altro uomo che il Demonio accende d'amore per te, dice soltanto che era molto ricco e che ti dava molestia con ispessi messaggi e doni. Io non ho pratica di queste trame, tuttavia credo che c'è modo e modo di rifiutare i messaggi e di spregiare i doni, e se quello insisteva tanto vuol dire che i tuoi rifiuti non erano così decisi da farlo desistere. Oppure questa persistenza era soltanto opera del Demonio? Ma su di te il Demonio non aveva esercitato i suoi poteri, almeno così risulta dal racconto di Jacopo. E allora perché quando l'incantatrice ti racconta che Dio non vede i peccati che si commettono al buio, tu decidi di tradire il marito? Dice ancora Jacopo da Varagine che il Diavolo, avendo invidia a la santità di Teodora, decise di produrre questo adulterio. Ma così santa non dovevi essere se appena hai la convinzione che Dio non ti vede, decidi di tradire quell'onesto marito. Io non voglio farti il processo, Teodora, ma la mia impressione è che eri santa di giorno e puttana di notte. Anch'io sono onesto di giorno e peccatore di notte. Anch'io vorrei che Dio non vedesse i peccati che si commettono al buio in luoghi impertinenti come l'officina della strega Zenaide.

Il giovane Diacono, tutto nudo sotto il lenzuolo tirato su fino a coprirgli la testa, si addormentò su questi pensieri come su un cuscino di stoppa.

XII

Per tutta la notte un Cameriere a cavallo aveva percorso le strade di Roma a cercare un medico per il Cardinale Ottoboni, ma nessuno si faceva trovare per timore di venire chiamato al capezzale di un appestato. Proprio in quei giorni erano morti di peste due mercanti genovesi, quattro patrizi romani, una lavandaia di Ripa Grande, il parroco di San Clemente e un vagabondo il cui corpo era rimasto abbandonato per una intera giornata sotto gli archi del Teatro Marcello. La voce della ripresa del contagio si era subito diffusa in tutta Roma e con sì fatto spavento questa tribulazione entrata era ne' petti degli uomini e delle donne, che l'un fratello l'altro abbandonava, et il zio il nipote, e la sorella il fratello, e ispesse volte la donna il suo marito e li padri e le madri i figliuoli loro di visitare e di servire schifavano.

Il Cameriere a cavallo mostrava le insegne del Cardinale Ottoboni, ma questo non bastava a dissipare la diffidenza dei pavidi dottori della salute o dei loro famigliari. Dietro le porte chiuse o dalle finestre gli avevano risposto ogni volta che il medico era stato chiamato d'urgenza e che al suo ritorno lo avrebbero mandato senz'altro alla Casa del Cardinale alla Dogana Vecchia. Se le cose fossero andate così come dicevano i famigliari al Cameriere a cavallo, entro l'alba si sarebbe adunata una gran folla di medici al capezzale dell'Ottoboni. E invece, avendo bene compreso la ragione di tutte quelle assenze, il Cameriere era montato in carrozza e aveva preso la strada di Palestrina per prelevare un vecchio dottore che, per antichi debiti di riconoscenza, non avrebbe potuto rifiutarsi di andare in soccorso del Cardinale sofferente.

In carrozza, durante il viaggio verso Roma, il vecchio medico volle accertarsi soltanto che il Cardinale Ottoboni non avesse gonfiori sotto le ascelle e all'inguine e che non fossero comparse macchie nere sulla pelle. Il terrore del contagio aveva superato le mura della Capitale e si era ormai diffuso anche nei paesi dei dintorni dove i casi di peste aumentavano ogni giorno senza rispetto per nessuno.

A Segni un prete si era precipitato da un campanile e un contadino si era gettato in un pozzo. A Palestrina era nata una Confraternita della Salute che mandava in giro nelle campagne i suoi agenti notturni a incendiare le case degli appestati pensando in questo modo di frenare il contagio. Ma gli scontri con i parenti degli appestati che difendevano con le armi le proprie case produssero un numero di vittime ancora superiore a quelle della peste.

Mentre le campagne piangevano i loro morti, un nuovo brivido percorse tutta Roma quando venne trovato una mattina sotto l'altare della Chiesa di San Tommaso in Monte Cenci il cadavere discinto di una giovane appestata bella e bruna, "nigra et formosa" aveva scritto nella sua relazione l'Agente di Sanità inviato dalla Prefettura di Castel Sant'Angelo. Come si fosse introdotta in quel luogo restò un mistero per tutti. Il giovane parroco non seppe o non volle dare spiegazioni di quella presenza, ma pochi giorni dopo morì di peste anche lui.

Il medico di Palestrina era arrivato al capezzale del Cardinale Ottoboni soltanto all'alba e lo aveva trovato di umore cattivissimo. Era stato lo stesso malato a parlare di avvelenamento, ma quando il vecchio medico aveva tentato di somministrargli un emetico per fargli rimettere i cibi guasti o avvelenati, si era rivoltato nel letto come una furia e se non fosse stato trattenuto dai Famigliari lo avrebbe scacciato dalla Casa.

«Ho già vomitato tutti i veleni dell'animaccia mia!» aveva sibilato il Cardinale che, quando si lasciava prendere dall'ira, parlava senza più ragione e disciplina.

Così il medico, dopo avergli fatto trangugiare un bicchiere di stomatico magistrale a base di aceto rosato, laudano e olio d'erba bianca, ripiegò prudentemente sulle pezze imbevute di aceto da applicare alla fronte, e sui cataplasmi bollenti di semi di lino da applicare sul petto. Male non fanno, pensava, e perciò ricorreva per abitudine a quei palliativi quando la scienza medica non gli suggeriva altri rimedi. Ma i dolori continuarono per tutta la giornata e portarono allo sfinimento il Cardinale, che ogni tanto alzava la testa e con voce disperatissima inveiva contro chi lo aveva avvelenato.

Quando si attenuarono i dolori venne chiamato il

Cuoco al capezzale del malato, il quale si alzò sul letto e lo fissò con uno sguardo da far paura.

«Chi è entrato nelle cucine?»

«Posso giurare che non è entrato nessuno estraneo né ieri né prima, Eminenza.»

«Quelle triglie!»

«Le triglie che avete mangiato voi le hanno mangiate anche i due Vescovi di Salamanca che hanno pranzato con voi.»

«Non mi fido di quei due vecchi lestofanti.»

«Ma Eminenza, quelli sono arrivati dalla Spagna e sono sbarcati direttamente nella vostra Casa senza avere visto nessuno a Roma prima di voi, così ha detto il cocchiere che li ha portati fino qua sotto su una carrozza pubblica.»

«Potrebbero essere venuti da Salamanca a farmi l'omaggio di questi veleni per incarico di chi so io. Già altre disgrazie sono in arrivo dalla Spagna.»

Il Cuoco della Casa era ritornato nelle cucine un po' frastornato, ma il racconto del suo dialogo con il Cardinale passò subito da una bocca all'altra e diede inizio a un fitto cicaleccio al quale parteciparono scalchi sguatteri cocchieri sarte lavandaie rammendatrici guardarobiere e le ragazze dei servizi che tentavano soprattutto di dare un nome al presunto avvelenatore. Qualcuno parlò della competizione ferocissima fra il Cardinale Ottoboni e il Cardinale della Torre per la carica di Camerlengo e i più informati misero sulla bilancia anche la rivalità per la bella Palmira, altro movente di possibili veleni. E così le Cucine della Dogana Vecchia diventarono il centro di pettegolezzi vertiginosi, di voci che venivano corrette e amplificate, alimentate da nuove notizie che arrivavano da fuori per trovare qui, al pianoterra della Casa del Cardinale Ottoboni, la loro conferma o smentita o l'aggiunta di nuovi conturbanti particolari.

Dopo una giornata di capogiri e di sofferenze diffuse in tutto il corpo, il Cardinale si era ripreso, ma i dolori acuti avevano lasciato un seguito di malesseri intermittenti che rinfocolavano via via le sue ire contro l'anonimo presunto autore dei veleni. Che questo fosse noto all'Ottoboni ormai era stato detto e ripetuto, ma il suo nome non venne mai pronunciato dal Cardinale nemmeno nei momenti in cui le sue ire prorompevano in invettive senza freno.

La terribile notte della fattura aveva portato danno anche al Cardinale della Torre che si era svegliato nel mezzo della notte con un dolore atroce alla gola e un gonfiore che gli mozzava il respiro. Aveva svegliato tutta la Famiglia con i suoi lamenti e a fatica era riuscito ad aprire la porta chiusa a chiave della sua camera per fare entrare i soccorritori. Avevano dovuto metterlo disteso sul pavimento di marmo per praticargli i massaggi al petto come si fa con gli annegati. Il Cardinale non era solito manifestare i propri umori negativi, ma quando si era sentito quel gonfiore in gola a mezzo della notte aveva perso il controllo dei propri sentimenti. Mentre gli tiravano su le braccia e gli premevano il petto, aveva borbottato parole incomprensibili e poi un lamento che aveva sbigottito tutti i presenti.

«Adesso muoio, sto calando in mezzo alle fiamme» e aveva aggiunto con voce disperata: «Se c'è Dio Onnipotente che cosa aspetta a venirmi in aiuto?».

Di quali fiamme parlava quella voce soffocata che usciva con strani gorgoglii dalla sua gola gonfia e dolorante? Poco alla volta il Cardinale aveva finalmente ripreso fiato e, con l'aiuto di Dio Onnipotente, sembrava essere uscito fuori dalle fiamme. Aveva chiesto soltanto una brocca di acqua fresca per smorzare le vampate che ancora a tratti gli salivano in gola, e sulla fronte una pezza imbevuta d'aceto per lenire l'emicrania. Poi si era assopito.

Uscito all'alba dal Convento di via della Scrofa, il Diacono Baldassarre aveva vagato per le strade di Campo Marzio ed era passato finalmente alla Locanda del Fico per sentire se alla sorella era arrivata da Nereo qualche notizia del Cardinale Ottoboni. Ma Fiorenza, gli dissero, aveva passato fuori la notte e non si sapeva quando sarebbe ritornata.

Il Diacono aveva percorso il vicolo del Vento e quello della Paglia, aveva vagato ancora a caso per le strade vuote e afose della città prima di approdare alla Casa del Cardinale della Torre.

Le notizie che ebbe dal Frate Portinaio sui dolori che quella notte avevano colpito nella sua Casa il Cardinale Ottoboni e che avevano fatto temere per la sua vita, gli avevano subito confermato che la fattura aveva avuto un suo effetto, ma che era fallito il risultato estremo che aveva come obiettivo. Un risultato parziale significava un fallimento più che totale perché, gli aveva spiegato Zenaide, una fattura si poteva ripetere, ma la ripetizione dava sempre risultati inferiori a quelli del primo tentativo.

Quando poi il Maestro di Camera gli disse che anche il Cardinale della Torre aveva avuto un grave dolore alla gola proprio a mezzanotte, il povero Diacono si sentì tremare sulle gambe per lo sgomento. Si sarebbe fatto mangiare dalle formiche piuttosto che affrontare le ire fredde del suo Cardinale. Sapeva di avere commesso una solenne bricconata portando alla maga il suo cappello e non quello del Cardinale Ottoboni. Se si fosse scoperta la verità che cosa poteva succedere? Quali fulmini sarebbero caduti sulla sua fragile testa? Cosimo Rolando non sbraitava come il Cardinale Ottoboni, ma era capace di crudeltà sottili e durature.

Il Diacono decise di affrontare il Cardinale nell'ora del pasto meridiano che giudicava il momento più pacifico della giornata.

«Come vedi riesco a inghiottire qualcosa, ma devo mangiare delle polentine molli perché mi si è ristretta la gola. Il cibo stenta a scendere e le parole stentano a salire.»

Il Cardinale aveva il volto color cenere e parlava con fatica.

«Mi hanno detto giù da basso che siete stato male questa notte.»

«Non questa notte, ma proprio a mezzanotte.»

Il giovane Servitore di Camera pensò che gli conveniva confermare la coincidenza.

«Proprio quando la maga Zenaide stava facendo la fattura.»

«Tu come spieghi questa grave sciagura?»

Il Diacono guardò il Cardinale che però teneva lo sguardo basso su una polentina di farro condita con una grattugiata di formaggio pecorino.

«Nella vita si verificano delle simmetrie veramente sorprendenti.»

«Un malessere così improvviso, a mezzanotte, e senza una causa evidente, sarebbe secondo te una simmetria? E così avrei rischiato di morire per una simmetria?»

«Non saprei che cosa altro pensare.»

«Sforzati di esprimere qualche diverso pensiero.»

Il Diacono non sapeva che cosa dire, ma non poteva eludere l'argomento proposto dal Cardinale con parole pericolosamente in salita.

«È una stranezza che vostra Eminenza si sia sentito male proprio a mezzanotte mentre stavo là da quella donna.»

«La consideri una stranezza? Mi sembra che continui a usare parole improprie.»

«Non so che altro.»

«Non vuoi prendere in considerazione qualche diversa eventualità?»

«Sono così frastornato che faccio fatica a pensare, Eminenza, dovete perdonarmi.»

«Posso perdonarti per i tuoi scarsi pensieri, ma mi riesce più difficile perdonarti per il furto di un mio cappello da viaggio.»

Il povero Diacono rimase fulminato per la vergogna e lo spavento.

«È scomparso un mio cappello dalla Casa» proseguì il Cardinale «e tutto mi fa pensare che sia passato dalle tue mani alle mani di quella donna e che quindi sia stato usato per i suoi sortilegi. Se ho ben capito il tuo piano era di eliminare il mio nemico e me stesso in un colpo solo.»

«Ma che cosa dite, Eminenza? Io non ho mai concepito una simile diavoleria, dovete credermi. Come potrei commettere un così grave peccato di ingratitudine?»

Il Cardinale lo guardò abbozzando un mezzo sorriso.

«Diavoleria, ecco che hai detto finalmente la parola giusta. Ma se ti ostini a negare la tua colpa, allora restituiscimi il cappello. O altrimenti giura sulla Bibbia che non lo hai preso tu.»

Il Diacono si trovò in una orribile difficoltà. Si sentì accusato per una colpa inesistente o meglio smascherato per una leggerezza che era diventata una colpa gravissima. Un improvviso turbine di confusione gli impedì di imbastire qualsiasi difesa. Del resto continuare a mentire avrebbe potuto soltanto provocare danni peggiori alla sua già precaria situazione.

Il Cardinale stava immobile davanti a lui. Metà del suo volto gli apparve ora infuocato e terribile come quello dell'Angelo Vendicatore sceso dal Cielo per colpirlo con i suoi fulmini. Che cosa poteva dire a propria discolpa? Nessuna idea si presentò alla sua mente, nessuna parola, solo una insopportabile vergogna. Improvvisamente il Diacono si gettò in ginocchio.

«Sono pentito, Eminenza, ma vi prego di credere che è stato soltanto un errore, una ingenuità dovuta alla mia inesperienza. Non mi intendo di quelle magie e ho creduto che servisse un cappello cardinalizio qualsiasi come simbolo, soltanto come simbolo. Così mi aveva detto la maga del Malpasso.»

«Il cappello mio non può servire come simbolo per un altro Cardinale, questo non era difficile da capire. E siccome non sei così debole di mente come vorresti farmi credere e hai usato il mio cappello per i tuoi straniti rapporti con Satana, con questo gesto sei passato dall'altra parte e hai tradito chi ti ha dato fiducia e insegnato a condurre una vita onesta e dignitosa.»

«Io non sono passato dalla parte di Satana, Eminenza. Ho fatto soltanto quello che mi avete ordinato di fare. A causa di un mio errore vi ho fatto correre un grave rischio, ma è stata solo una mia ingenuità, credetemi, e di questo vi chiedo umilmente perdono.»

Il Cardinale alzò uno sguardo freddo e terribile sul povero Diacono.

«Perdono? Tu stai dicendo delle falsità insopportabili e mi attribuisci ordini che non ti ho mai dato, pensieri e intenzioni che non ho mai avuto. In altri tempi con queste parole saresti finito in carcere o addirittura sul rogo.»

Il Diacono guardò il Cardinale con una espressione smarrita.

«Ho agito con la vostra approvazione, Eminenza, voi non potete averlo dimenticato.»

«Come potevo approvare il tuo complotto ai miei danni? Stai dicendo cose tanto assurde e offensive che dovrei denunciarti all'Auditore di Giustizia se non addirittura al Sant'Uffizio per stregoneria.» Il Cardinale fece una pausa, poi riprese con voce gelida: «Ma io so per tua fortuna che le parole abominevoli uscite dalla tua bocca può avertele suggerite soltanto il Demonio che ha preso possesso del tuo corpo e della tua mente».

Il povero Diacono avrebbe voluto scomparire,

sprofondare nelle viscere della terra piuttosto che sopportare una impostura così evidente da parte del Cardinale. Il quale approfittava della propria autorità per umiliarlo e attribuirgli intenzioni che mai avevano attraversato la sua mente.

«Così hai voluto farmi morire. Sono stato molto male, credevo proprio di non sopravvivere a quel nodo che mi stringeva alla gola e che mi stava uccidendo per soffocamento. Sono vivo per miracolo, ma come potrò dimenticare che ho allevato dentro la mia stessa Casa il mio carnefice? È una parola che esce dalla mia bocca come un rospo malefico, ma non so in quale altro modo potrei definirti.»

Il Diacono si aggrappò alle vesti del Cardinale.

«Non dite queste parole, Eminenza, e per piacere non nominate i rospi che mi fanno orrore. Credete alla mia buona fede e perdonatemi.»

«Sono addolorato di dover essere così severo con uno dei miei Famigliari.» Il Cardinale fece una pausa. «L'unica giustificazione per quello che hai fatto è il Demonio che hai dentro di te. Anche se decido di perdonarti, d'ora in avanti non potrò più considerarti una persona cosciente e responsabile, ma uno strumento nelle mani del Demonio e perciò da controllare perché non produca danni.»

«Allora mi perdonate?»

Il Cardinale fece un sorriso ambiguo.

«Dovrai ringraziare Satana di avere ottenuto il mio perdono.»

«Quali e quante stranezze, Eminenza. Sono confuso e veramente non so più che senso dare ai miei errori. Farò tutte le penitenze che mi chiederete. Bastonatemi, frustatemi, fate di me quello che volete, sono ai vostri piedi.»

Sul volto del Cardinale affiorò un mezzo sorriso, poi riprese a parlare lentamente.

«Il bastone e la frusta non servono. Solo se insieme riusciremo a usare il Demonio a nostro vantaggio potrò ritenermi risarcito. Dobbiamo sottomettere ai nostri voleri il nemico di Dio» il Cardinale diede una occhiata veloce al Diacono e aggiunse «già che lo abbiamo in casa.»

Il Diacono aveva sfiorato l'abisso del Sant'Uffizio, ma queste ultime parole aprirono un nuovo baratro davanti ai suoi piedi. Solo a sentire nominare il Sant'Uffizio gli erano corsi brividi in tutto il corpo, ma la prospettiva che il Cardinale prefigurava alla fine di quel drammatico colloquio era qualcosa di ancora peggio che un processo davanti al Tribunale della Chiesa.

Sempre in ginocchio, il Diacono Baldassarre aspettava un gesto di congedo. Appena il Cardinale gli fece cenno di alzarsi con la mano tesa verso di lui, il Diacono baciò frettolosamente l'anello, si alzò in piedi, fece un leggero inchino e si allontanò quasi di corsa.

Soffre il mio intelletto, vengono umiliati e derisi i miei sentimenti, si dubita della mia fede. Santa Teodora anima mia, nel sonno mi succede di amarti con tutti i miei sensi, e quando ti ritrovo sul mio rigido pagliericcio dove combattiamo infuocate battaglie amorose riesco perfino a dimenticare le mie pene terrestri. Ciò che mi piace della tua santità, Teodora, è proprio la vocazione al peccato e alla deliziosa sofferenza del pentimento. Ma nel caso mio che cosa ci può essere di più grottesco della sofferenza che mi tocca non a causa di un peccato, ma per un errore nel peccare, per un peccato malfatto. La vicenda del cappello cardinalizio sbagliato la conosci, ma non immagini in quali guai mi ha precipitato. Anche gli Angeli sbagliano qualche volta, così si dice, ma devono rendere conto all'Arcangelo Gabriele, beati loro, e non al Cardinale della Torre. Di notte nella mia cella lascio aperta la piccola finestra che guarda sulla strada e aspetto sempre che tu esca dalle pagine polverose di Jacopo da Varagine e arrivi in volo dal Cielo, nuda come Eva. Vieni, Santa Teodora, io ti aspetto. Di tanta santitade fu Teodora che tanti miracoli fece, racconta Jacopo da Varagine. E allora fai un miracolo anche per questo tuo povero Diacono innamorato e tirami in salvo da una situazione che non riesco a vincere da solo. Lascerò sempre la finestra aperta anche d'inverno e ti aspetterò per tutte le notti della mia vita.

Quarto quadro

La navigazione da Livorno a Civitavecchia sul mare tempestoso "sicut Luciferi rugientis" provocò tempeste e tormenti anche nello stomaco del Papa. Adriano vomitò in una bacinella d'argento i resti della spigola mangiata a Livorno ma, anche dopo la remissione del nobile pesce, continuò ad avere violenti conati di vomito tanto più dolorosi in quanto le contrazioni avvenivano in uno stomaco ormai vuoto. Qualcuno del seguito gli consigliò di stare in piedi, altri lo volevano seduto, altri ancora disteso sul ponte della nave, chi a pancia in giù e chi a pancia in su. Ma qualunque fosse la posizione scelta, il malessere non accennava a quietarsi, tutto il corpo del Pontefice si contorceva come un albero battuto dall'uragano. Nei momenti in cui riusciva a raccogliere forze sufficienti, l'infelice Fiammingo invocava Dio con voce dolente.

«Dio del Cielo aiutatemi, scendete a portare conforto a un povero cristiano che si trova in balìa delle acque. Mio Dio Onnipotente, le acque sono vostre, i venti sono vostri e solo Voi potete dominarli.»

In quella situazione calamitosa tutti notarono che il Papa si rivolgeva a Dio in olandese e non più in latino. E i pochi che avevano qualche cognizione di quella lingua si accorsero con stupore che Adriano dava del voi a Dio mentre presso di noi anche un umile marinaio gli dava del tu.

I Segretari del corteo papale si consultarono con il Comandante se convenisse ammainare le vele, ma questo decise senza esitazione che era necessario continuare la navigazione perché una sosta in mezzo al mare in tempesta avrebbe senz'altro peggiorato il rollio e addirittura avrebbe messo in pericolo non soltanto la salute del Papa ma anche quella della nave.

Quando finalmente il dolore si acquietò insieme alle onde del mare, il Papa volle inginocchiarsi sulla tolda a rendere grazie a Dio, diffusamente e questa volta in latino. Il suo seguito si inginocchiò insieme a lui e si unì alle sue preghiere e al canto dei Salmi.

Finalmente, dopo due notti di cielo sereno e di sonno profondo, Adriano giunse nel porto di Civitavecchia la sera del 25 agosto. La mattina del giorno seguente mise piede per la prima volta sulla terra dello Stato Pontificio.

Una gran folla lo attendeva sulla banchina e festeggiò con applausi e canti l'arrivo del nuovo Pontefice. Come inviati del Sacro Collegio lo accolsero a terra i Cardinali Colonna e Orsini i quali, informati sul temperamento scontroso di Adriano, si comportarono con dignitoso riserbo.

Il Cardinale Colonna pronunciò un discorso di benvenuto sul territorio dello Stato Pontificio. Adriano rispose brevemente che i limiti territoriali del Papato erano pura contingenza senza alcun valore spirituale e ricordò che il Regno di Cristo si trovava ovunque ci fossero buoni cristiani. Insomma anche questa volta il Papa volle in qualche modo correggere le parole del Cardinale che pure si era studiato di accogliere il nuovo Pontefice nel modo che riteneva più conveniente alla sua difficile mentalità di Fiammingo. Di questo rimprovero indiretto del Papa il Cardinale Colonna ebbe a lamentarsi in seguito con il Cardinale Orsini, che invece si era tenuto prudentemente silenzioso.

Il Papa mosse i primi passi sulla terra dello Stato Pontificio dirigendosi alla Cattedrale di Civitavecchia per una breve preghiera di ringraziamento. Da qui si recò a piedi alla Rocca dove prese un leggero pasto di verdure cotte e prosciutto crudo a mezzogiorno e poi diede udienza al Clero e alle Autorità civili del luogo.

Per tutti ebbe poche parole, pronunciate in un latino gutturale e quasi incomprensibile che stupì e sgomentò i convenuti. Qualcuno osservò maliziosamente che il Pontefice parlava così perché sicuramente desiderava non essere capito. Del resto che cosa poteva dire un Papa che era vissuto sempre in luoghi lontani, a quei cittadini o Chierici che gli esponevano i problemi di una regione a lui sconosciuta?

Il 27 di agosto il Papa si dispose alla partenza. Di nuovo una folla si radunò sul molo per salutarlo. Ai poveri che gli si affollarono intorno prima che mettesse i piedi sulla passerella per salire sulla nave, espresse il suo pensiero e le sue intenzioni con queste parole:

«Amo la povertà e vedrete che cosa farò per voi».

I poveri furono felici di questa promessa e rimasero sul molo fino a quando le navi del corteo papale scomparvero all'orizzonte dirette verso il porto di Ostia.

XIII

Il Cardinale della Torre, oltre che amico del Priore, si era assunto da lunghi tempi il ruolo di protettore della Comunità francescana di via della Scrofa. Più di una volta si era fatto intercessore presso Leone X per l'assegnazione di donazioni al Convento e di benefizi ai suoi membri. Un orto di tre pezze con alberi di fichi e susine dietro via delle Fornaci era stato donato al Convento come regalia pontificia, e sostanziose elemosine venivano elargite ogni anno da Leone X per scoraggiare l'istituto della questua, da lui detestato nonostante che i francescani avessero preso dal Poverello d'Assisi la Regola e i costumi di Ordine Mendicante. Usava dire, con le parole del Novelliere, che non potendo vivere di limosine, andassero alla zappa. Ma ancora per interessamento del Cardinale della Torre erano state assegnate dallo stesso Pontefice le parrocchie di Santa Maria della Seggiola e di San Clemente, con i benefizi annessi, ai due frati più anziani di via della Scrofa. Oltre a tutto ciò qualche botticella di vino di tanto in tanto veniva graziosamente dirottata dalla Casa del Cardinale alle cantine del Convento.

Il Priore apprezzava i favori del Cardinale, ma in

segreto criticava l'astuzia del Pontefice che assegnava le rendite delle parrocchie vacanti ai frati più anziani sapendo che li avrebbero di nuovo lasciati disponibili il giorno non troppo lontano della loro morte. Per dispetto al Papa o per arcano sortilegio, spesso i vecchi beneficiati campavano oltre i novanta e più anni con chiara soddisfazione del Priore che incassava le rendite a favore della sua Comunità. La morte di Leone X aveva interrotto il flusso delle elargizioni e il Priore dovette accontentarsi dei parsimoniosi ma essenziali aiuti del Cardinale della Torre.

Come segno della sua gratitudine il Priore aveva dato in prestito al Cardinale, con l'incarico di Servitore di Camera, il più sveglio fra i giovani Diaconi del Convento con l'intesa che gli avrebbe conservata la cella in via della Scrofa con tutti i suoi libri, per quando il Diacono desiderasse passare qualche ora o qualche notte nel suo Convento, o quando cerimonie speciali ne richiedessero la presenza. La residenza abituale del Diacono sarebbe stata comunque la Casa Cardinalizia di via Monte della Farina e in seguito la nuova residenza in via dell'Oro. Il giovane Diacono era diventato l'anello di comunicazione fra la Casa del Cardinale e il Convento di via della Scrofa e godeva perciò di un piccolo prestigio e di qualche vantaggio: gli indumenti più curati, il diritto di accedere alle giostre e agli altri spettacoli nei cortili vaticani e, quando gli occorresse, una carrozza di servizio messa a sua disposizione dal Convento.

Ma ora, per la prima volta, il Priore rimandava da un giorno all'altro l'incontro che il giovane Diacono aveva sollecitato per se stesso. Che cosa significavano questi continui rinvii da parte del Priore? Il Diacono li aveva dapprima interpretati come una mancanza di riguardo nei confronti del Cardinale della Torre, di cui si sentiva il rappresentante presso la Comunità francescana, ma dalle sue informazioni non gli risultava che i rapporti fra i due fossero caduti in freddo. I malumori del Cardinale dopo la morte di Leone X e la spietata competizione con il Cardinale Ottoboni per la carica di Camerlengo non potevano in nessun modo influire sul Priore, uomo prudente e attento in primo luogo agli interessi del Convento.

Quando finalmente il Priore gli accordò un incontro nella sua cella invece che nel Parlatorio, il giovane Diacono capì che il colloquio doveva avvenire sotto il sigillo della segretezza.

La cella del Priore era povera e nuda come quelle dei semplici frati. Stessi muri freddi, stessi mobili di legno rustico, pulizia e semplicità francescana. Il giovane Diacono sedette su un panchetto di fronte al Priore, acquattato dietro a un tavolino sul quale stavano ammontinati vari libri di penitenza e un messale romano rilegato in pergamena. Alle sue spalle un affresco di Giunta Pisano consumato dall'umidità raffigurava un Santo Francesco accigliato e segnato in volto da rughe profonde. Unico segno di distinzione della cella era un pregevole legno policromo di Daniel Mauch, dono di un benefattore tedesco, raffigurante due Papi, un Cardinale, un Vescovo, sette monaci e un prete, accatastati in un gruppo a piramide.

Il Diacono scrutò con una rapida occhiata il volto

del superiore per capire quale fosse il suo stato d'animo e quale atteggiamento gli convenisse assumere in quella circostanza. Ma il volto del Priore era impenetrabile e inespressivo come un vaso di coccio. Meglio allora, aveva pensato il Diacono, affrontare senza indugi il problema per cui aveva chiesto l'incontro, e rompere subito la rigida barriera dietro la quale si rifugiava il Priore.

«Ho molto pensato al vostro consiglio, Monsignore, e finalmente ho deciso di sottopormi all'esorcismo. Mi dicono che si tratta sempre di un'impresa difficile e rischiosa perché il Diavolo che si è insediato in un corpo di solito non vuole andarsene e fa ogni sorta di resistenza, ma io mi sottoporrò umilmente a questo sacrificio per potermi riavvicinare ai Sacramenti e disporre della mia persona come voi consigliate.»

Il Priore lo guardò ostentando una meraviglia che subito preoccupò il giovane Diacono.

«Forse la memoria mi tradisce» disse il Priore «ma proprio non ricordo di averti dato un simile consiglio. Si era parlato di esorcismo come eventualità lontana e incerta, questo mi dice la memoria.»

Il Diacono sapeva che il Priore aveva una mente lucida e precisa, e una temibile memoria. Non poteva credere che avesse dimenticato. Sicuramente aveva qualche sua ragione per inscenare quella finzione.

«Tu dici che i demoni insediati in un individuo tendono a restarvi» proseguì il Priore «ma che ne sai tu se il Demonio vuole andarsene o restare? Non ti sembra di peccare di presunzione? In questi casi la primissima regola deve essere la prudenza.»

Il Diacono chinò il capo in segno di umiltà.

«Se ho parlato con presunzione vi chiedo perdono, Monsignore.»

«Adesso mi metti in imbarazzo perché non so se parli per voce tua o per voce del Demonio che ospiti dentro di te. Se dunque la presunzione è tua, mi è facile perdonarti, ma se parli per voce del Demonio il mio animo si confonde e non so più quale atteggiamento mi convenga. Le ombre che provengono dai Regni Infernali sono sfuggenti e infingarde. È per questa ragione che ho tardato a riceverti, e ora non so se sto parlando con un Demonio astutissimo o con il giovane Diacono francescano che ho prestato al servizio del Cardinale Cosimo Rolando della Torre, nostro emerito protettore e amico.»

«Io non voglio mettervi in imbarazzo, Monsignore. Vi chiedo soltanto di aiutarmi a scacciare il Demonio che mi fa sternutire davanti alle chiese e mi fa tossire quando mi avvicino all'altare.»

«Io ti vorrei aiutare, ma l'esorcismo come tu sai comporta dei rischi terribilissimi perché i diavoli possono indispettirsi e procurare danni irreparabili alla persona di cui hanno preso possesso. Alcuni indemoniati hanno avuto la mente sconvolta e sono diventati pazzi durante l'esorcismo. Qualcuno addirittura ha perso la vita fra dolori atroci alla testa e al ventre. Altri sono morti soffocati perché i diavoli "aeria", mangiatori d'aria, i più cattivi fra tutti, si erano affollati nella gola ostruendo il respiro. Non devi pensare che i diavoli abbiano rispetto dell'uomo, sono sempre perfidi, distruttivi e pessimi. Allora forse conviene aspettare che il corpo stesso li espella. Certi diavoli sono fuggiti attraverso la gola di loro volontà e senza procurare danni. Altri sono usciti da dietro, insieme ai venti naturali e alle feci, che è il passaggio che più si addice alla loro iniquità.»

Il Diacono accolse con sospetto le parole del Priore. Erano troppo diverse da quelle che aveva sentito dalle stesse labbra durante la passeggiata dalla Scrofa al Rione Ponte. Le loro posizioni nei riguardi dell'esorcismo si erano dunque invertite. Che cosa era successo nel frattempo? Una idea il Diacono ce l'aveva in testa e decise di chiedere una spiegazione a viso aperto.

«Quando mi avete visto sternutire davanti alle chiese e vi ho informato della tosse violenta che mi assale ogni volta che mi avvicino al Santissimo, mi avete detto che sicuramente questo fenomeno non era dovuto alle correnti d'aria fredda ma era opera del Demonio che si era insediato nel mio corpo. Poi mi avete detto che avreste provveduto voi stesso a trovare un esorcista per liberarmi dalla presenza demoniaca. Se ora c'è qualche ragione che vi ha fatto cambiare atteggiamento, Monsignore, e io penso che questo sia avvenuto, vi prego di parlare senza segreti e di dirmi da dove vengono queste ragioni.»

Il Priore sembrò concentrarsi per qualche istante nei suoi pensieri.

«Prima di rispondere alla tua domanda devo a mia volta domandarti se tu credi di essere un uomo libero. Credi di essere un uomo libero?»

«La mia libertà» rispose il Diacono «è condizionata dai miei doveri. Ho dei doveri verso Dio, dei doveri verso i miei superiori e dei doveri verso tutti gli uomini.»

«Hai dunque cognizione delle Gerarchie all'interno della Santa Madre Chiesa e delle sue Istituzioni?»

«Ne ho perfetta coscienza, Monsignore.»

«E pensi di essere il solo ad avere dei doveri verso i tuoi superiori?»

Il Diacono capì improvvisamente e con sgomento da dove veniva la resistenza del Priore a praticare l'esorcismo, e ne fu spaventato.

«Il Cardinale Cosimo Rolando della Torre, al quale sicuramente vi riferite, non è un vostro superiore.»

«In senso stretto non lo è, ma è un benefattore del nostro Convento e perciò ho verso di lui dei doveri come e più che se fosse un mio superiore.»

«Il Cardinale non vuole che io venga esorcizzato. Preferisce che il Demonio continui a tenere la sua dimora nel mio corpo.»

«Questo io non l'ho detto.»

«Non c'è bisogno che lo diciate voi, Monsignore. E sapete perché il Cardinale della Torre non vuole che mi sottoponga all'esorcismo?»

«Non lo voglio sapere. I pensieri del Cardinale restano suoi e io non ne voglio fare oggetto di commento.»

«Se vi dicessi qual è la ragione non ci credereste.»

«Ma io ti ho spiegato che non desidero conoscere e tanto meno commentare i suoi pensieri.»

«D'accordo, forse è giusto così. Voi dovete fare gli interessi del Convento, non i miei. Se io resto in preda al Demonio non è affare che vi riguarda. Dovrò dunque combattere da solo, con le mie deboli forze, contro una Entità potente e malvagia.»

«Posso allora ricordarti che la povera Santa Caterina di Stommeln, secondo quanto scrive il frate Petro de Dacia, si trovò a combattere contro ben trecentomila diavoli.»

Il Diacono ebbe un sussulto.

«Voi mi parlate di una Santa, Monsignore. Io non sono un Santo, né ambisco alla santità. Sono soltanto un povero Diacono che in questo momento si sente afflitto e abbandonato.»

Il Priore abbassò lo sguardo in segno di umiltà.

«La mia volontà si arrende qualche volta di fronte alla volontà altrui. Anche i miei desideri si arrendono di fronte ai desideri altrui.»

«Questo significa che anch'io dovrò affidarmi soltanto alla mia volontà e ai miei desideri, o meglio ai miei interessi.»

«Ognuno di noi ha un suo margine di libertà e ne fa l'uso che ritiene migliore.»

«Quindi non avete niente in contrario che io stesso decida di farmi esorcizzare e che mi presenti al Cardinale della Torre liberato dal Demonio.»

«Io non ho sentito quello che hai detto, ma se insisti per avere una risposta, ti proibisco di prendere una simile decisione. Purtroppo so che esiste la disobbedienza e che anche persone devote qualche volta disobbediscono ai loro superiori. È una sciagura che in tanti anni di vita nel Convento mi sono abituato a sopportare, e a perdonare.»

Il Diacono aveva capito che cosa intendeva il Priore con le ultime battute di quel colloquio che si era svolto sotto il segno della reticenza e della ambiguità. Ma subito in rapidi pensieri si presentò alla sua mente il problema di farsi esorcizzare senza che il Cardinale della Torre ne avesse notizia, e poi di ottenere la certificazione scritta dell'esorcismo avvenuto. Impresa difficile perché i Cardinali hanno le orecchie lunghe e aguzze, ma corresse subito questa immagine arrivata di soppiatto nella sua mente confusa, perché tutti sanno che lunghe e aguzze sono le orecchie dei diavoli, non quelle dei Cardinali. Si riscosse quando sentì la mano del Priore che lo toccava sulla spalla.

«Che cosa pensate di me, Monsignore? Per quale ragione credete che il Diavolo abbia scelto proprio me come sua dimora? Credete che voglia per mano mia compiere qualche malvagità?»

«Non ho nessuna consuetudine con i diavoli e proprio non saprei quali sono i loro criteri di scelta quando decidono di allocarsi presso qualcuno di noi, ma devo confessare che fino a ieri non immaginavo che osassero entrare nel corpo di un Diacono che divide il suo tempo tra la Famiglia di un Cardinale e un Convento francescano. Non fa onore nemmeno al nostro Ordine un fatto come questo se viene confermato dall'esorcismo. Perciò ti raccomando la massima segretezza, qualunque sia la decisione che vorrai prendere.»

«Non volete darmi un consiglio, Monsignore, su ciò che pensate sia meglio per la mia persona e per l'Ordine al quale appartengo?»

«Consentimi di non rispondere alla tua domanda. Il silenzio è la difesa dei deboli.»

«Siamo soli, Monsignore, e qualunque cosa vorrete dirmi rimarrà sepolta fra noi due, avete la mia promessa.»

Il Diacono cercò di incontrare lo sguardo del Priore che scuoteva la testa come se volesse allontanare da sé la tentazione di parlare.

«Potreste tentare di convincere il Cardinale della Torre a portarmi da un esorcista» disse il Diacono «per liberarmi da questa infermità dell'anima e del corpo. Io so che il Cardinale tiene molto alla vostra amicizia.»

Il Priore si decise a parlare.

«Io conosco il Cardinale da molti anni. È un uomo capace di generosità, ma è molto ostinato e quando si propone un obiettivo non conosce ostacoli. Tu hai consuetudine di Famiglia con lui e perciò la cosa più conveniente è che tu stesso ti rivolga alla sua benevola comprensione, anche se dubito che tu possa ottenere ciò che desideri.»

Il Priore volse lo sguardo al severo Francesco affrescato sulla parete alle sue spalle.

«In questo mondo qualche volta succedono anche i miracoli.»

Poi si alzò per dare congedo al giovane Diacono, il quale si alzò a sua volta pensando fra di sé che i miracoli li fanno solo i Santi, e il Cardinale della Torre certamente non era un Santo.

XIV

Dal cielo nero e minaccioso era esploso improvvisamente un temporale di biblica violenza. Lampi, tuoni, vento e scrosci d'acqua avevano sconvolto la città, allagato le piazze e trasformato le strade in fiumi correnti. Il Tevere, già alto per le pioggie in Umbria, aveva invaso le banchine del Porto di Ripetta e allagato le vigne e gli orti sulle due rive. Le strade del Rione Ripa e di Parione, piazza del Circo Agonale e dintorni erano diventate dei pantani, l'acqua aveva invaso a Ponente i magazzini di Porta Portese e del Testaccio e aveva formato un lago intorno alla Piramide Cestia. Insieme a questo diluvio estivo era arrivata su Roma, accompagnata da un lungo ululato, una tromba d'aria che aveva sradicato gli alberi, scoperchiato le case, rovesciato le carrozze che si trovavano allo scoperto e fatto abortire tre donne incinte, sei capre e due cavalle.

Il Diacono Baldassarre si era trovato sotto la pioggia scrosciante vicino alla piazza di San Salvatore in Lauro e avrebbe voluto rifugiarsi nella chiesa, ma una crisi violenta di sternuti l'aveva costretto a correre lontano, con i piedi nel fango e l'acqua alle caviglie. Era arrivato finalmente alla Casa del Cardinale della Torre tutto fradicio e infangato, scosso ancora dagli sternuti e da qualche colpo di tosse che volle attribuire alla pioggia più che al Demonio dispettoso che da qualche tempo era suo ospite indesiderato. Lasciò al suo passaggio nell'androne d'ingresso e sulle scale una scia di acqua e di fango, e finalmente entrò nella sua cameretta dove si spogliò di tutto ciò che aveva indosso e si rivestì con abiti asciutti.

Dopo quella furia del cielo, nel silenzio che era seguito alla tempesta si concentrarono tutte le sue perplessità e le sue ansie, le penitenze e le tentazioni, i peccati dei Santi, la ragazza di Viterbo, l'amorosa bionda Margotta e il Demonio impertinente che ora stava rintanato sotto i suoi panni asciutti e puliti.

Parlare con il Cardinale della Torre come aveva consigliato il Priore? O andare direttamente da un esorcista e presentarsi al Cardinale già liberato dal Demonio? Ma dove trovare un esorcista discreto e affidabile? Pensò di recarsi a Viterbo dal vecchio parroco che gli aveva dato lezioni di latino, ma prima di affrontare il viaggio era andato a consultare i registri della Dataria e aveva scoperto che quel poveretto era morto da quattro anni. Gli ritornò ancora una volta alla memoria la ragazza delle more, quel ricordo infelice che aveva tentato di rimuovere con orgoglio, ormai superato dagli eventi che lo incalzavano senza tregua, ma ancora presente nei momenti di sconforto. Alla fine decise di prendere la strada più ardita e di parlare con il Cardinale.

Non dovette aspettare come per il Priore. Il Cardinale lo accolse nel suo studio con un mezzo sorriso che subito lo insospettì. Non c'era nessuna ragione per sorridere.

«Ho saputo che ti sei lasciato sorprendere dal temporale e per poco non sei stato portato su in cielo dalla tromba d'aria che si è abbattuta sulla città. Chissà se le porte del Paradiso si sarebbero aperte al tuo arrivo. Prima di tutto, così infradiciato, avresti infangato le scale celesti come hai fatto in questa Casa, e lassù sono di rigore ordine e pulizia. In secondo luogo insieme con te sarebbe entrato in Paradiso anche un Demonio, e questo non rientra nelle regole di quel sacro luogo.»

Il Cardinale fece una risatina per sottolineare l'ironia delle sue parole. Il giovane Diacono si trovò subito in difficoltà. Nella sua situazione non poteva permettersi di scherzare, e il Cardinale aveva avviato il discorso su un registro per lui impraticabile.

«Dunque hai qualche buona notizia da darmi? Io sto chiuso in questa Casa come in una prigione, ma tu ti muovi, vedi gente, parli e ascolti.»

Il Diacono decise di esprimersi subito con voce alta e chiara.

«Io sono venuto, Eminenza, per parlarvi del Demonio che, secondo una opinione che stento ad accettare, avrebbe preso possesso del mio corpo.»

«Del tuo corpo o della tua anima?»

«Io parlo e penso secondo la mia volontà, Eminenza, e perciò la mia anima è indenne da ogni suggestione o tirannia del Demonio come vi ho già detto.»

«Da dove ti viene tanta sicurezza?»

«La mia mente è libera da ogni costrizione e i miei pensieri possono prendere qualsiasi direzione anche se il mio corpo sternutisce e tossisce per ordine del Demonio.»

«Il gesto malvagio che hai compiuto contro la mia salute certamente non è stato deciso dal tuo naso, dalle tue gambe, dalle tue braccia, dalle tue ginocchia. Allora è stato deciso dalla tua mente libera da ogni costrizione?»

Il Diacono ancora una volta si trovò nella condizione di doversi difendere con parole in discesa dalla malizia persistente del Cardinale che stava conducendo il discorso.

«Ho commesso un errore nel valutare le così dette sostanze della fattura, Eminenza, lo riconosco, ma nessuna intenzione cattiva mi ha traviato.»

«Non credi che sia stata intenzione del Demonio indurti in un errore che poteva essermi fatale?»

«Io non mi sono accorto di avere agito dietro ordine o suggestione del Demonio.»

«Vuoi proprio costringermi a pensare che hai agito di tua volontà e che perciò sei stato proprio tu a desiderare e concertare la mia morte? Io speravo che fosse stato il Demonio a indurti a un comportamento malvagio contro la mia persona.»

«Io non ho mai concertato la vostra morte, Eminenza, posso chiamare tutti i Santi del Cielo a testimoni della mia innocenza.»

«Bene, allora vuol dire che è stato il Demonio. Questo mi conforta e ristabilisce la fiducia che ho in te.»

Il Diacono cominciò a sudare e ad agitarsi. Il discorso stava avviandosi nella direzione sbagliata, e il Cardinale non voleva perdere il suo vantaggio.

«Ti ho già spiegato che un indemoniato non è responsabile delle pessime azioni che il Demonio lo induce a commettere.»

«Ma io esisto sulla terra, mi chiamo Baldassarre e sto qui in piedi davanti a voi. Sono un essere umano deperibile e di poca scienza ma diligente e percettivo, contrario al male sotto qualsiasi forma.»

«Ci mancherebbe altro. Tu devi opporti se l'azione è malvagia in sé, ma se per combinazione può sortire effetti utili e onorevoli, allora devi lasciare guidare la tua mano da chi ha più potere di te. Ognuno di noi deve difendersi con i mezzi che ha nelle sue tasche, e tu sai che non soltanto il codice della Chiesa ma anche quello della legge civile non condanna chi agisce per propria difesa.»

«Io non devo difendermi da nessuno, Eminenza.»

«Ma io sì.»

Il Diacono si passò una mano sulla fronte sudata. Poi parlò con decisione.

«Sono venuto a chiedervi di essere sottoposto all'esorcismo. Io non voglio convivere con il Demonio né tanto meno commettere violenza contro un'alta autorità della Chiesa.»

Il Cardinale rimase in silenzio per qualche momento assaporando il vantaggio che il Servitore di Camera gli aveva dato nominando indirettamente la vittima.

«Anch'io aborrisco la violenza, ma ripeto che talvolta può essere giustificata se porta vantaggio al decoro e alla sanità della Chiesa e dei suoi ministri fedeli, come nel nostro caso. Dopo si parlerà dell'esorcismo.»

Il Diacono non ne poteva più di questo dialogo che lo riportava ogni volta sullo stesso tema per l'ostinazione ben nota del Cardinale. Fece un altro tentativo di ribellione aperta nel tentativo di creargli qualche imbarazzo.

«Eminenza, io non mi sento di commettere un assassinio.»

«Un omicidio, non un assassinio. Capisci la differenza? Un omicidio si può commettere per difesa propria, per la eliminazione di un tiranno o di un malfattore, omicidi sono le migliaia e migliaia di uccisioni durante una guerra, quindi l'omicidio può essere legittimo o addirittura meritorio. L'assassinio è l'uccisione di una persona con fini perversi. L'assassinio è sempre un delitto, l'omicidio no.»

«Ho capito, Eminenza, ma allora devo confessarvi che io non mi sento di commettere un omicidio.»

«Ti capisco e ti approvo, ma se il Demonio che è in te lo desidera e te lo impone?»

«Mi riesce difficile crederlo, Eminenza. Il mio Demonio mi fa sternutire davanti alle chiese e tossire quando mi avvicino all'altare, ma non ha nessuna vocazione per la violenza. Io credo in fede mia che sia un demonietto domestico, di quelli che si è soliti chiamare folletti, esseri importuni e dispettosi, ma non violenti.»

«Non vorrai sostenere che esistono dei diavoli buoni e innocui. O forse in questo momento senza saperlo stai parlando nel nome e per volere suo? È lui che ti suggerisce all'orecchio le cose che dici? Devi tenere a mente che dovunque cada lo sguardo del Demonio si produce sterilità e fame e peste, come dice la Bibbia.»

«Eminenza, i fastidi che ho da questo demonietto

non sono una tragedia e forse con il tempo svaniranno, oppure riuscirò ad abituarmi.»

«Anch'io penso che per ora sia inutile sottoporti ai rischi dell'esorcismo. Ma devo ricordarti che i diavoli sono sempre cattivi e violenti, compreso il tuo. È per questa ragione che ho pensato di approfittarne, liberandoti s'intende, da ogni responsabilità.»

«Io credo, Eminenza, che il mio Diavolo si rifiuterà di commettere qualsiasi violenza anche perché, se devo prestargli le mie mani, lui saprà certamente che esse sono del tutto inesperte in questo genere di imprese.»

«Pensi veramente che le tue mani non siano in grado di fare ciò che hanno fatto nella Storia donne fragili e perfino ragazzi imberbi, mentre tu sei un uomo giovane e nel pieno delle sue forze? Se non fosse così facile uccidere non si commetterebbero tanti delitti ogni giorno, a Roma e altrove. È una resistenza comprensibile la tua, e agire per conto del Demonio è una spiacevole incombenza, ma non è peggio opporsi alla necessità di ridurre alla polvere chi ha attentato alla mia vita con il veleno, un peccatore che disonora sia la porpora che indossa, sia la Madre Chiesa che lo ha investito di tanta dignità? Abbiamo saputo da poco che il Cardinale Ottoboni, unico fra tutti, si è fatto tagliare la barba dopo avere convinto gli altri Cardinali, e io sono fra quelli, a mantenerla contro le disposizioni del Pontefice che sta per arrivare a Roma. Con questo maligno stratagemma pensa di guadagnare la sua benevolenza e di ottenere i suoi favori quando si dovrà definire la Presidenza della Camera Apostolica. Ti sembra simile comportamento degno di un porporato, o non piuttosto di un vile cortigiano?»

Il giovane Diacono non dovette fare molti sforzi per capire che le parole del Cardinale contenevano un ordine. Volle fare ancora un tentativo faccia a faccia per ottenere l'esorcismo e sfuggire al terribile incarico.

«Vi supplico, Eminenza, di aiutarmi a trovare un esorcista che mi liberi da questo Demonio che mi annoia e mi opprime. Ve lo chiedo in nome della carità cristiana.»

Il Cardinale si fece improvvisamente cupo e gettò sul giovane Diacono uno sguardo gelido e minaccioso.

«Questo Demonio mi serve, e io non intendo rinunciare a uno strumento di giustizia che il Signore, nella sua infinita benevolenza, ha messo a mia disposizione dentro la mia stessa Casa.»

«A me non pensate, Eminenza?»

«Quando avrò realizzato il mio progetto provvederò a farti esorcizzare come tu desideri. Ma per ora tu sei per me soltanto uno strumento di giustizia. Ci faremo beffa del tuo Demonio usandolo per un valido scopo. Dovresti esserne orgoglioso e collaborare con entusiasmo. Invece ti vedo incerto, sospettoso e pavido. Sono veramente deluso.»

«Fisicamente sono pavido, Eminenza, lo confesso. Ma temo anche di commettere un grave peccato uccidendo un Cardinale. Sono stato educato alla benevolenza, alla pace, alla carità e al perdono.»

«Negli ultimi sette anni sono stati uccisi a Roma quattro Cardinali e, suppongo, senza il concorso del Demonio come nel tuo caso.»

Il Cardinale parlava come se ormai il Diacono avesse accettato l'impegno.

«Perdonatemi, Eminenza, ma forse sono stati uccisi da sicari prezzolati e non da un Chierico come sono io.»

«Uno è stato avvelenato addirittura in casa del Cardinale Riario e gli altri sono morti per mano di sicari che sono tutti sfuggiti alla giustizia. Forse erano Chierici, forse no, che ne sappiamo? Ma nella Storia abbiamo un caso che viene accettato e lodato da tutti coloro che hanno a cuore i destini della Chiesa di Roma. Poco più di due secoli fa Sigieri di Brabante insegnò con successo nella Università di Parigi l'aristotelismo radicale, fino a quando arrivò in quella città Tommaso d'Aquino che mise sotto accusa le sue idee. Sospettato di eresia, Sigieri venne allontanato dalla Università. Trovò rifugio presso la Curia Pontificia a Orvieto, e qui venne ucciso per mano di un monaco. In questo modo venne scongiurato il diffondersi di teorie che avrebbero dato luogo a pericolosi conflitti dottrinali all'interno della Chiesa. Un omicidio onesto che ha reso un prezioso servizio alla integrità della dottrina cristiana.»

Che la Chiesa due secoli prima avesse fatto uccidere un filosofo per uccidere una idea, era parso da sempre al Diacono il peggiore fra tutti i possibili delitti e non certamente una impresa lodevole come voleva fargli credere il Cardinale. Avrebbe voluto ricordargli che i testi della Storia sono assai reticenti e perplessi sulla fine di Sigieri di Brabante, ma ormai il dialogo era chiuso e difficilmente si sarebbe riaperto su quell'argomento.

Il Diacono entrò nella sua camera annichilito da quell'incontro e sopraffatto dalla malinconia. Andò a sedersi sul letto stringendosi la testa fra le mani e non riuscì nemmeno a piangere. Si disse, nello sconforto e nella solitudine, che le colpe di un uomo confuso si attenuano e che, con l'aiuto del Demonio, solenne paradosso, i suoi peccati avrebbero forse ottenuto il perdono.

Il suo pensiero salì in Cielo a rincorrere Santa Teodora di Alessandria che svolazzava in mezzo agli Angeli sopra lontani deserti. Chissà come si trovava Lassù quella Santa così terrestre e libertina in compagnia delle schiere biancovestite, continuamente molestate dai temporali e dai demoni aerei. Pallidi e preoccupati quegli Angeli, e giustamente, si disse il Diacono, vengono raffigurati sempre con espressioni annoiate perché si capisce che tanto felici non sono nemmeno loro. L'unico Angelo sorridente che si conosca, scolpito nel marmo sulla facciata della Cattedrale di Reims che guarda a Occidente, è diventato famoso proprio per questo, perché sorride a differenza di tutti i suoi compagni. No, questa volta né Santa Teodora né gli Angeli del Cielo potevano dare qualche conforto alla sua coscienza infelice.

XV

Quando il Diacono Baldassarre si presentò tutto sudato alla Locanda del Fico con in mano un sacchetto di tela rustica dove aveva infilato alla rinfusa una tonacella estiva di ricambio e qualche capo di biancheria, l'ostessa cominciò a muovere le mani nell'aria perché aveva capito subito che il giovane frate che chiedeva ospitalità si trovava nei guai. Alla larga dalla gente inguaiata perché, secondo l'ostessa, i guai sono contagiosi come la peste.

Che quel giovane dall'aria smarrita fosse il fratello di Fiorenza, la giovane puttana che alloggiava lì da due anni, pagava regolarmente la pigione ed esercitava il suo mestiere, a detta dei clienti con notevole perizia e fantasia, non era una ragione sufficiente per dileguare nell'ostessa la diffidenza verso tutta la bassa preteria sia romana che forestiera. Si trattava quasi sempre di cattivi pagatori e di presenze incomode fra la sua clientela, composta per la massima parte di artigiani del legno e del ferro chiamati a Roma dalla Toscana e dall'Umbria per lavorare nelle numerose fabbriche intraprese sotto il papato di Leone X. Buoni clienti questi artigiani che lavoravano fuori tutto il giorno e la sera arrivavano nella locanda così stanchi e affamati che mangiavano qualunque cosa gli facesse trovare sulla tavola e poi si buttavano a letto e dormivano come ciocchi fino al nascere del nuovo giorno quando si rimettevano sui piedi per ritornare al lavoro nei cantieri o nelle botteghe.

Fiorenza era una presenza bene accetta, una puttana ci sta bene in una locanda, un servizio in più per i rari clienti danarosi, e un diversivo gradevole per rompere la monotonia di una clientela di soli uomini. Ma un giovane frate con le tasche sicuramente vuote? Come stanno le tasche si capisce dalla faccia, e l'ostessa su questo non sbagliava mai.

Il Diacono Baldassarre tradiva nei gesti e nelle parole uno stato di ansia che non era una buona raccomandazione, ma l'ostessa si trattenne dal dire, come era solita con i clienti indesiderati, che la sua locanda non era un refugium peccatorum.

«Per quanto tempo intendete fermarvi?»

«Ancora non lo so.»

«I denari per pagare li avete?»

Il Diacono si ricordò a questo punto la sentenza attribuita al Cardinale Ottoboni, "homo sine pecunia imago mortis". No, non poteva offrire di sé una immagine mortuaria. Meglio mentire.

«Ho i denari per la locanda, ma non so per quanti giorni converrà che mi fermi.»

L'ostessa non fu ancora persuasa e proseguì con altre domande accompagnate ogni volta da sguardi inquisitori.

«Siete scappato dal convento?»

Il Diacono si sentì scoperto. Quella donna esperta aveva capito subito la precarietà della sua situazione e la sua debolezza pecuniaria.

«Diciamo che mi sono preso una licenza ma che non si tratta di una fuga.»

«Era soltanto una curiosità del caso perché a me non interessano le faccende private dei miei clienti.»

Una menzogna già evidente dalle sue domande.

L'ostessa accompagnò il Diacono su per le scale fino a una cameretta sotto il tetto che assomigliava tanto alla sua cella nel Convento di via della Scrofa.

«Aspetterò qui mia sorella» disse alla ostessa perché lo lasciasse solo.

«La stanza di Fiorenza è qui a fianco, ma non è detto che ritorni nella locanda a passare la notte. Non sempre dorme nel suo letto per via del mestiere che fa.»

A quelle parole il Diacono sentì una stretta allo stomaco, ma non fiatò. Depose il suo fagotto su un tavolino e sedette sul letto.

«Per il momento resto qui a riposarmi.»

«Come volete voi.»

L'ostessa uscì chiudendosi la porta alle spalle e si avviò zoccolando giù per le scale.

Fiorenza rientrò nella locanda del Fico a notte avanzata. Il fratello l'aveva aspettata sveglio, e digiuno, camminando avanti e indietro nella sua cameretta dopo essersi levato gli zoccoli francescani per non svegliare gli ospiti del piano di sotto.

Dalla porta socchiusa finalmente vide passare la sorella che si dirigeva alla sua camera in punta di piedi con una candela in mano. Era ritornata sola, per fortuna.

«Che cosa fai qui?» domandò Fiorenza quando si

trovò faccia a faccia con il fratello. Tutto si aspettava meno che incontrare il fratello Diacono in quella locanda malfamata, di notte.

«Ho bisogno di parlarti.»

«E hai preso una camera qui nella locanda per parlare con tua sorella?»

«Sono scappato dalla Casa del Cardinale.»

«Ti sei impazzito?»

«Vuole da me delle cose orribili. Poi ti spiego.»

«Anche lui? Questa finocchieria cardinalizia mi deprime l'anima. Sembrava che avesse ancora in mente la Palmira e invece eccolo lì che si perde anche lui dietro agli uomini.»

Il Diacono si ricordò dei sospetti che gli erano venuti leggendo quelle righe sul ragazzo nudo che il Cardinale della Torre aveva sottolineato nel Vangelo secondo Marco.

«Perché, hai sentito dire qualcosa?»

«Io non ho sentito niente» disse Fiorenza «però mi dici che ti ha chiesto di andare con lui.»

«Ma che cosa hai capito? Non si tratta di quello che pensi tu. Magari fosse. È una cosa molto ma molto peggio.»

Fiorenza chiuse la porta della sua camera.

«Qui non ci sente nessuno. Raccontami tutto.»

«È inutile che la faccio lunga. Il Cardinale si è messo in testa che sono indemoniato.»

Fiorenza sbarrò gli occhi spaventata.

«Indemoniato a te? È ammattito?»

«Così dice.»

«Brutta cosa frate mio. Ma tu che cosa ti senti? Stai male?»

«No. Succede solo che sternutisco quando passo

davanti alle chiese. Sai, è un gran fastidio, non so mai che strada prendere, a Roma c'è una chiesa a ogni passo. Però non mi sento indemoniato.»

«Ma guarda che turcheria mi stai a dire. E perché sei scappato?»

«Con la scusa che ho il Demonio in corpo il Cardinale vuole farmi fare delle cose che non ho nemmeno il coraggio di raccontarti. Tanto, dice, la colpa è del Demonio.»

«Allora avevo capito giusto.»

«Ti ho detto che non si tratta di finocchieria. Fosse quello mi saprei difendere. Il Cardinale è cambiato in questi tempi, si sente perseguitato e si consuma con progetti di vendetta. Ha perso il sonno e la pace. Adesso ho bisogno soltanto di dimostrargli che non sono indemoniato così la finisce di darmi i tormenti.»

«Ma dimmi un po', te lo senti dentro questo Demonio? Senti qualcosa che si muove nella pancia? Pare che gli indemoniati sentono muoversi qualcosa dentro la pancia come se avessero ingoiato un rospo vivo.»

Il Diacono aveva uno schifo incontenibile per i rospi. Fece una smorfia di disgusto.

«Io non lo so, non me ne intendo, ma questo rospo vivo non lo sento proprio, per grazia del Cielo. Soltanto questi sternuti davanti alle chiese e convulsi di tosse se entro e mi avvicino all'altare, niente altro. Allora mi sono ricordato che conoscevi quel certo Codronchi protofisico e dottore degli indemoniati che potrebbe dirmi se ho il Demonio addosso oppure no e che forse potrei ottenere da lui un attestato. So che era stato chiamato a Roma proprio per fare questo lavoro per conto del Collegio dei Cardinali quando si presentavano casi di difficile intendimento.»

«Il Codronchi Giovan Battista, sì che lo conosco. È quel tale che tortura le pulci prima di schiacciarle, un tipo strano e uno sporcaccione. Ma sono anni che non lo vedo.»

«Mi serve subito. Conoscerai qualcuno che ti può dire dove si trova, con la vita che fai sempre in giro da una banda all'altra.»

La sorella lo guardò con un'ombra di risentimento.

«Io faccio la vita che posso, mi arrangio e mi arrabatto.»

«Non volevo offenderti. Ho bisogno soltanto di sapere se sono indemoniato o no.»

«Questa però non me l'aspettavo di avere un fratello, pure Diacono, che si è preso il Diavolo in corpo.»

«Non sarebbe la prima volta che il Demonio prende in ostaggio un frate. Ma io spero ancora che non sia vero. Altrimenti devo farmi esorcizzare all'insaputa del Cardinale.»

Fiorenza continuava a parlare per se stessa, ancora frastornata.

«Ci mancava questa, di avere un fratello con il Diavolo addosso. Bell'affare.»

«A me succede questo bell'affare, mica a te. Adesso ho bisogno di questo Codronchi che deve visitarmi e dire se ho veramente un Demonio nella pancia.»

«Anche tu hai sentito dire che sta nella pancia?»

«Ma sì, pare che i diavoli entrano nel corpo da dietro e si infilano nell'intestino.»

«Ma che schifo.»

«Pare che da dietro entrano e da dietro se ne van-

194

no, così dice il Priore del mio Convento. Ho anche cercato di scacciarlo con i semi di finocchio.»

Fiorenza sgranò gli occhi per lo stupore.

«Hai cercato di scacciare il Demonio con i semi di finocchio? Cos'è, una stregoneria?»

«Ma no, c'è un antico libro di medicina, il *Regimen sanitatis* della Scuola Salernitana che dice: "Semen foeniculi fugat spiracula culi". Significa che i semi di finocchio fanno espellere aria dal di dietro e, insieme all'aria, ho pensato io, forse anche il Demonio.»

«Come hai detto che fa il latino?»

«"Semen foeniculi fugat spiracula culi." In Convento ci hanno fatto mandare a memoria tutto questo libretto. Ma perché mi fai questa domanda?»

«Scusa tanto, ma se questo latino l'ha scritto un frate ci ha messo della malizia: foeni*culi*, spira*culi*, *culi*. Quello aveva idee turche, idee di finocchieria.»

«Sei proprio fissata con questa finocchieria. È un libro di medicina, un libro famoso. La malizia ce la metti tu.»

«E il Demonio se ne è andato via con i semi di finocchio?»

«Che ne so? Chissà se nell'aria prodotta dai semi di finocchio c'era dentro il Demonio. Apposta voglio andare dal Codronchi.»

«Pare che anche quel Lutero tedesco che ce l'ha su con la Chiesa di Roma, scaccia il Demonio con le scorregge, che invece secondo un Papa sono peccato mortale. Che Papa era che scomunicava le scorregge, ti ricordi?»

Il Diacono Baldassarre sorrise appena.

«Dicono che fosse Gregorio VII. Ma chi ti racconta queste bambocciate?»

«C'è una nostra amica dell'Ortaccio che si fa prestare i libri da un dottore dell'Ospedale di Santo Spirito e poi ci racconta queste parabole. Ci trastulliamo così quando non abbiamo niente da fare.»

«Al Santo Spirito ci stanno gli appestati. Stacci alla larga, mi raccomando.»

Il Diacono guardò la sorella con tenerezza.

«E allora come te la passi?»

«Mi arrabatto per non patire la fame. Ma c'è poco lavoro, la gente è malcontenta e c'è un gran putiferio in giro per via del Papa straniero. Poi sono arrivate le puttane spagnole e moresche che si chiappano tutti i clienti. Il Papa è ancora in viaggio, ma loro sono già volate qui a centinaia come cavallette perché pensano che insieme al Papa arriverà dalla Spagna tanta gente di commercio e tanta preteria lussuriosa. Così Roma è già diventata un gran bordello.»

«Puoi sempre cambiare mestiere» disse il Diacono timidamente.

«L'unica cosa che so fare è questa. È un mestiere di fatica, ma come tutte le donne tirate su con il latte di capra il mio destino è segnato e non posso fare altro che la mignotta. Questo è il mio mestiere e la mia vocazione, come tu hai la vocazione per fare il frate.»

«Vocazione? Se potessi in questo momento cambierei mestiere, parola mia.»

«Ma che cosa mi dici?»

«Niente. È una cosa del momento, poi mi passa.»

Fiorenza rimase in silenzio per qualche istante, poi fissò lo sguardo sul fratello con uno strano interesse. Finalmente gli parlò a voce bassa, ancora incerta, ma cercando di dare un tono naturale e credibile alle sue parole.

«Ti direi di metterti dentro al letto con me, così ti conforto un po', ma tra fratello e sorella pare che non si usa.»

Il Diacono si rese conto che la sorella diceva sul serio e la guardò con sorpresa e imbarazzo. La proposta gli parve completamente pazza e l'invito lo aveva subito messo in difficoltà. Fiorenza capì il suo stato, gli sorrise con malizia e accennò a slacciarsi il corpetto.

Il Diacono non sapeva come contenersi di fronte a quella incredibile proposta della sorella.

«Sei proprio una scimunita.»

«Invece non sarebbe mica una cattiva idea» disse guardandolo negli occhi «è notte, siamo soli, qui c'è un letto, non ci vede nessuno. E poi non sono mai andata a letto con un indemoniato e sarei curiosa di vedere che cosa sa fare il Demonio. Si dicono mirabilia. Dài, mettiamoci sul letto.»

Il Diacono cominciò a sudare, combattuto fra l'imbarazzo e l'eccitazione. Cercò di dominarsi.

«Stai scherzando su una faccenda che mi inquieta seriamente.»

«No no, io dico sul serio.»

«Sei mia sorella» disse il Diacono con un filo di voce.

«E allora?»

«Allora non si può.»

«Dopo vai a confessarti.»

«Bell'affare. Noi ci confessiamo con il Priore del Convento. Quello mi deferisce di corsa agli Ufficiali d'Onestà.»

«C'erano dei Santi che si mettevano a letto con le

ragazze nude per vedere se ce la facevano a resistere, e adesso stanno sugli altari.»

«Io non sono un Santo.»

«Non vuoi provare? Facciamo questo gioco e vediamo dove ci porta la scienza.»

«Quale scienza?»

«La scienza del cazzo, frate mio.»

Fiorenza si avvicinò al fratello, gli infilò una mano sotto la tonaca e lo carezzò sul petto villoso.

«Perché non ti levi questa palandrana? Qui ci stiamo a bollire per il caldo» disse Fiorenza in un soffio.

«Non ti offendere» disse il fratello «ma sei capitata in un momento brutto con questa faccenda del Demonio che mi mette in confusione. Scusami, adesso devo orizzontarmi.»

Fiorenza lo guardò delusa, ma non rassegnata ancora.

Il Diacono non sapeva come difendersi dalla tentazione.

«Non voglio troppo insistere, però mi dispiace» disse Fiorenza. «Se non fossi mio fratello, e per di più frate, potevamo essere già dentro al letto uno sopra l'altro. Ma ti vedo così stranito.»

«Eh sì, sono proprio con la testa in fumo.»

«Lo sai che potrei anche offendermi?»

«Io non capisco più niente, Fiorenza. Stai mettendo alla prova il mio libero arbitrio.»

La sorella lo guardò smarrita, poi si mise le mani nei capelli.

«Te lo dico subito, con il libero arbitrio io non ci combatto.»

Il Diacono abbassò lo sguardo senza replicare.

«Forse sei stanco» disse Fiorenza.

«Sono stanco» confermò il Diacono.

«O hai paura?»

Il Diacono non rispose.

«Non sono una scalmanata. Sono stata a letto con tanti preti, sai? Giovani e vecchi.»

«Brava! E te ne vanti?»

«Sicuro. Sapessi come ti ringraziano dopo.»

Fiorenza si avvicinò alla candela e fece il gesto di soffiare sulla fiammella.

«Vuoi che spengo la candela e ci mettiamo a letto al buio?»

«Aspetta.»

Il Diacono sfiorò il braccio nudo della sorella per allontanarla dalla candela. Un brivido lo percorse da capo a piedi.

«Una occasione come questa non ci capiterà più» disse Fiorenza

«Te l'ho detto, sei mia sorella.»

«Mica dobbiamo sposarci.»

«Questo è vero, ma devo pensarci.»

«Queste cose si fanno a caldo, senza troppi pensieri.»

Il Diacono scosse la testa per scacciare via i pensieri. Fiorenza interpretò quel gesto come un segno negativo.

«Ma volevo chiederti, sei mai stato a letto con una donna?»

«Perché me lo domandi?»

«Tanto per sapere.»

«Io sì» disse il Diacono.

«Non ci credo. Se fosse vero mi saresti già saltato addosso. In ogni modo hai tutta la notte per ripensarci.»

Il Diacono restò in silenzio. Non sapeva dove guardare, dove mettere le mani.

«Hai mangiato?»

«No. Veramente ho fame, ho sete, ho sonno e sono quasi disperato.»

Fiorenza lo guardò preoccupata ma vide che il fratello si sforzava di sorridere.

«Non ho niente da mangiare qui in camera. Andrei giù dall'ostessa ma ho paura che si incazzisce quella.»

«Riuscirò a sopravvivere fino a domani mattina.»

«I soldi per la camera non li hai, naturalmente.»

«E dove li prendo? Non ho addosso nemmeno un carlino.»

«Tu non ti angustiare che domani ci parlo io con l'ostessa. Forse mi dice anche dove sta questo Codronchi. Ma poi devi raccontarmi che cosa vuole da te quel disgraziato del Cardinale.»

Il Diacono fece un gesto evasivo mentre la sorella cominciò a spogliarsi denudandosi il petto.

«Meglio che vado a dormire» disse il Diacono con la testa in fiamme.

«Lascio la porta accostata. Io sono qua e ti aspetto fintanto che si consuma questa candela.»

In un baleno Fiorenza si spogliò tutta mostrandosi nuda.

«Ce l'hai un pensiero?»

Il Diacono non rispose, chinò la testa e uscì dalla camera della sorella.

«Io ti aspetto» disse ancora Fiorenza.

Il Diacono si ripresentò sulla porta.

«Preferisco che spegni la candela. Meglio il buio casomai decidessi di ritornare.»

La ragazza soffiò sulla candela e si fece buio nella camera.

Ritornato nella stanzetta che gli aveva assegnata l'ostessa, il Diacono spalancò la finestra e il mondo vacillò paurosamente. Si lasciò andare sul letto cercando di dominare la fame che gli mordeva l'anima.

Non aveva sentito odore di zolfo questa volta, e la sorella non si era tramutata in un laido caprone come quella ragazza di Viterbo. Forse Dio dormiva a quell'ora, e se anche non dorme, si disse, forse non vede i peccati che si commettono al buio.

XVI

Il vecchio Codronchi, archiatra protofisico e medico degli indemoniati, famoso per avere studiato i diavoli e i Cardinali dal punto di vista scientifico, abitava in fondo a via dei Leutari in un palazzetto con la facciata decorata di pitture e graffiti come le case delle cortigiane. Il Diacono Baldassarre venne ricevuto da una inserviente ciabattona che lo condusse nello studio del dottore al piano terreno.

Giovan Battista Codronchi stava seduto in uno stanzone semibuio dietro a un grande tavolo ingombro di libri, ma lo sguardo del Diacono andò a posarsi su un quadro dal quale le facce spiritate di due Santi guardavano direttamente verso la porta d'ingresso. Il Diacono riconobbe subito i Santi Cosma e Damiano, soccorritori gratuiti, guaritori senza argento, protettori dei medici, gemelli di origine araba, come appariva anche dai nasi appuntiti e dalle sopracciglia lunghe e sottili. Il dottore, minuscolo e secco, ancora più vecchio di quanto il Diacono si aspettasse, si tirò in piedi con fatica e qualche cigolìo delle ossa, e gli andò incontro con un ghigno che voleva apparire un sorriso.

«Allora, quale malanno ti ha condotto nella mia casa?»

Il Diacono fu subito contento di potere affrontare l'argomento che gli premeva senza intralcio di preamboli.

«Succede questo fatto strano, dottore, che mi viene da sternutire ogni volta che passo davanti a una chiesa. Se entro e mi avvicino al Santissimo mi prende una tosse così profonda e rancorosa che mi sembra di sputare l'anima. Per questa tosse e per questi sternuti il Priore del mio Convento ha detto che forse dentro di me è entrato il Demonio. Ma io il Demonio non lo sento, e sono venuto da voi proprio per questo, per sapere dalla vostra dottrina e dalla vostra esperienza se questi incidenti corporali bastano per definirmi indemoniato.»

«Io sono un medico e perciò mi occupo del corpo e non dell'anima. Come prima reazione a quel che mi dici sono indotto a credere che gli sternuti siano da attribuire a correnti di aria fredda o a improvvisi sbalzi della temperatura. Si sa che a Roma l'atmosfera è ballerina in tutte le stagioni. La tosse invece è un fenomeno più profondo e ugualmente indisciplinato che si genera per una infiammazione della gola e da tribolazioni polmonari, ma non si può escludere che l'uno e l'altro fenomeno abbiano origine dalla presenza nel corpo di uno o più diavoli. E allora il mio compito è di indagare se ci sono altri sintomi che denunciano questa presenza.»

Il dottore prese il polso del Diacono e si concentrò per seguire i ritmi delle pulsazioni. Dopo qualche minuto alzò lo sguardo verso il suo paziente, fece una bella pausa come se avesse necessità di riflettere ancora prima di pronunciarsi.

«Dalle pulsazioni non si sente nessuna presenza

diabolica. Solitamente basta un Diavolo per mettere in agitazione tutto il corpo: le pulsazioni riflettono le tempeste interne con sussulti improvvisi, velocità e rallentamenti irregolari. Niente di tutto questo.»

Il Diacono gioì in silenzio di questo primo responso. Poi il dottore gli prese un braccio e lo fece chinare per guardargli dentro le pupille da vicino.

«Qui c'è qualcosa che non mi piace» disse sollevando lo sguardo per qualche istante.

Riprese a guardare dentro a un occhio e poi dentro l'altro sollevando le palpebre con le dita e soffiando sugli occhi il suo fiato caldo.

«Ci siamo» disse il dottore «intravedo una immagine rossa che potrebbe essere quella del Maligno. Un rossore nell'occhio e striature verdi nella pupilla di solito sono un segnale che proviene dalle fiamme sulfuree che avvolgono Satana. Senti bruciori negli occhi?»

«Sento bruciori, dottore, ma ho camminato nel vento e la polvere mi è entrata negli occhi. Può essere il Maligno come dite voi, ma potrebbe essere più facilmente la polvere della strada.»

«Il vento e la polvere sono prodotti elementari del tempo burrascoso, ma sono anche strumenti di cui talvolta si serve il Maligno.»

Il dottore chiuse gli occhi per un momento, poi riprese a interrogare il Diacono.

«Provoca turbamenti nell'animo e tempeste interiori la pronuncia del nome di Dio?»

«No.»

«E il Segno della Croce?»

«Solo quando mi avvicino o entro in una chiesa.

Sono i luoghi di Dio e non il suo nome che mi procurano il disturbo che vi ho detto.»

Il dottore lo guardò con gelida aria inquisitoria.

«Un sintomo comune degli ossessi è un formicolio fastidioso come lo strisciare di formicole sotto la pelle, dietro le orecchie oppure sui bracci o sulle mani.»

«No, non mi pare di avere questa sensazione delle formiche.»

«Palpitazioni sulla pelle? Dei battiti improvvisi e superficiali qua e là per il corpo?»

«Direi di no, secondo memoria.»

«Calore improvviso, anche d'inverno, che scende dalla testa ai piedi e dai piedi risale fino alla testa? Come una febbre senza ragione e di breve durata?»

«Sento i calori della febbre quando ho la febbre, non altrimenti.»

«Ti succede di sentire un bolo nella gola che si gonfia e quasi chiude il respiro per sopraffiato, e poi si fa secca e arida tanto da rendere ottusa la voce?»

Il Diacono ebbe un brivido. La gola chiusa da un bolo soffocante l'aveva procurata lui al Cardinale della Torre con quella fattura. Che il Maligno fosse trasmigrato quella notte nel corpo del Cardinale? Ma più che un pensiero era il desiderio che le parti si fossero invertite e che dovesse il Cardinale cercare per sé un esorcista.

«Non ho mai avuto questo bolo nella gola, dottore» disse il Diacono.

«La lingua gonfia che ti esce e si allunga di fuori come succede agli impiccati?»

«No, dottore, la lingua sta al posto suo.»

Il dottore proseguì nelle sue domande con ostentata freddezza professionale. Il Diacono, che sperava in qualche benevolenza o protettiva comprensione come ci si aspetta e quasi si pretende da chi si occupa della nostra salute, si sentì improvvisamente alla mercé di quel vecchio inquisitore che lo incalzava senza tregua.

«Ti succede di sentire acqua fredda lungo il dorso anche nelle giornate di calura?»

«Niente, dottore.»

«Sensazioni di gonfiamento nella testa e come una dilatazione di tutto il corpo?»

«Proprio mai.»

«Trafitture acute di spilloni nel cervello e in altre parti del corpo?»

«Niente trafitture di spilloni, per grazia del Cielo.»

«Senti mai un groviglio come fossero rane o vermi o formiche alla bocca dello stomaco? O una mannella di stoppa che ti chiude il respiro?»

«Qualche pesantezza della cattiva digestione quando mangio peperoni o lumache, ma in questi casi mi pare di sentire una pietra sullo stomaco, non le rane o le formiche che dite voi e nemmeno la mannella di stoppa in gola.»

«Una pietra, hai detto?»

«Sì una pietra, una pesantezza immobile e dura.»

Il dottore restò pensieroso per qualche istante e poi riprese con le sue domande.

«Dolore intenso di visceri e sensazione di vomito?»

«Il nutrimento di sole frutte e verdure, come può succedere a noi frati in certe stagioni, mi procura gonfiori di ventre e qualche volta acuti dolori. Voi sapete che noi francescani viviamo di elemosine e nella stagione estiva spesso mangiamo frutta con poco pane e qualche volta mi arrivano questi dolori.»

«Gonfiore hai detto?»

«Sensazione di gonfiore, ma non vero gonfiore.»

«Poco importa» disse il dottore «ma dimmi ancora se in quelle occasioni senti un vento freddo o un bruciore caldissimo percorrere i visceri.»

«Direi di no.»

Il Diacono restò pensieroso per un momento. Non voleva mostrarsi troppo negativo su tutto.

«Forse qualche calore della fermentazione.»

«Calore forte?»

«Non forte, solo calore di fermentazione nella pancia.»

Il dottore camminò avanti e indietro nella stanza forse per riflettere su quanto aveva appreso dalle risposte del giovane Diacono. Il quale lo guardava confidando nella miglior sorte perché, al di fuori degli sternuti e della tosse da lui dichiarati, e registrati dal Codronchi, non gli sembrava che fosse emerso qualche nuovo segnale della presenza del Demonio.

«Abbiamo finora elencato i sintomi dei sensi, ma restano altri sintomi che propriamente riguardano non l'anima, che non è mio ufficio indagare, ma si riferiscono alla mente dell'ossesso. Conviene che ne faccia un elenco e tu mi dirai se qualcuno di essi si è manifestato da quando ti sei persuaso di avere incorporato un Demonio.»

Al Diacono le parole di Codronchi fecero l'effetto di uno schiaffo.

«Persuaso? Veramente io non mi sento indemoniato per nientissimo affatto. Anzi sono venuto da voi proprio per avere la conferma che il Demonio non ha preso stanza nel mio corpo.»

«Questo sarà da vedere alla somma di tutti i sintomi. Per il momento ti farò un elenco e tu mi dirai mentre parlo se qualcuno di questi si è verificato.»

Il Diacono chinò la testa in segno di assenso.

«Prima di tutto mi dirai se ti è successo di parlare lingue ignote o di comprendere queste lingue quando che siano parlate da altri. Di rivelare fatti occulti o dimenticati o futuri o arcani o, in occasioni contingenti, di conoscere i pensieri o i peccati di estranei. Di esserti trovato in agitazione fisica fortissima tanto da non potere essere dominato neppure da uomini valenti. Di avere sentore di una voce interna senza riuscire a percepirne il significato. La dimenticanza totale delle cose ascoltate in stato di apparente condizione naturale e pacifica. Di essere trattenuto da una forza potente che ti impedisce di eseguire le quotidiane preghiere o funzioni di culto.»

Qui il povero Diacono fece un cenno leggero al dottore che si dispose ad ascoltare.

«Al di fuori di questi sternuti e della tosse, nessuna forza mi trattiene mai e nessuno dei sentimenti da voi nominati mi affligge.»

«Andiamo più avanti. Ti succede di sentire consumata improvvisamente ogni energia del corpo e della mente così da cadere prostrato fino alla terra? Ti senti mai spinto da una forza interiore verso i precipizi? O verso la morte violenta per le mani tue stesse?»

Il Diacono scosse il capo in segno di negazione.

«E adesso dovrò farti una domanda che ti farà qualsiasi esorcista.»

Il Diacono lo interruppe.

«Voi parlate di un esorcista, ma io spero che non sarà necessario sottopormi all'esorcismo. Voi me lo dite come una cosa prossima e certa, e questo mi preoccupa.»

«Ne parleremo alla fine. Per adesso devo domandarti se ti succede di sentirti improvvisamente stupido, cieco, zoppo, sordo, muto, lunatico, paralitico o di venire assalito da terrori improvvisi.»

Il Diacono guardò il medico con grande meraviglia. Non volle nemmeno fermare qualche pensiero sulla sua lunga domanda e rispose con decisione che lui non si era mai sentito cieco muto zoppo o paralitico, che godeva di buona salute sia di mente che di corpo ad eccezione di quel leggero inconveniente che già aveva più volte nominato.

Il dottore parve accettare con benevolenza la sua risposta e si concentrò per emettere il verdetto.

«I tuoi disturbi non derivano dall'umido, dal secco o dagli altri umori del corpo come si potrebbe pensare. Non è vero che i medici, come sostiene Michele Psello nel suo trattato sulle *Opere dei demoni*, poiché si occupano come è giusto soltanto dei corpi, vogliano attribuire ogni disturbo a pesantezze e letargie, alla bile nera e a frenesie provenienti da umori corrotti e vuoti della carne. Bisogna invece ricordare che i demoni fanno parte del nostro mondo, anche se sfuggono alla vista per la loro natura sottile, e hanno una minima parte di materia alla quale in qualche modo sono soggetti, specialmente quelli che provengono dalle regioni infernali e non tanto gli altri che si nascondono nell'aria. Di questo dobbiamo tener conto. Come dice ancora Psello, i demoni sono esposti ai contagi, sottoposti alle pene corporali, gemono se vengono percossi e si bruciano se vengono gettati nelle fiamme e alcuni, bruciati, lasciano anche delle ceneri. La mia professione di medico limita i miei interventi al corpo, come ho detto prima, ma il corpo appartiene anche ai demoni che vi prendono dimora e una distinzione netta fra il corpo e lo spirito è impossibile quando si tratta di questi esseri lacunosi e iperbolici. La luce di Dio nascosta nella Legge alla fine convertirà tutti gli uomini e li aiuterà a prevalere sul Maligno. È a questa Legge che io mi ispiro nel mio lavoro, qualche volta soggetto a ingratitudine e risentimento degli uomini di scarsa e mediocre fede.»

Il Diacono lo ascoltava perplesso. Rabbrividì a sentirlo parlare di fede mediocre e della Legge di Dio in quel modo così perentorio e punitivo.

«Dice ancora Psello» proseguì il dottore «che qualunque discorso piaccia al Maligno, arriva senza strepito al suo destinatario. Il Maligno installato in un corpo parla per vie silenziose così come le anime uscite dai corpi parlano tra di loro senza rumore. Questi demoni si rivolgono con espressioni segrete anche a noi umani in modo che non ci rendiamo conto da dove si avvicini la tempesta. L'ossesso insomma può nascondere la verità parlando per voce del Demonio. È questo che ho constatato durante il nostro incontro quando le tue risposte laconiche e sfuggenti erano chiaramente suggerite dal Maligno che alberga nel tuo corpo.»

«Così, secondo voi sarei indemoniato?» domandò il povero Diacono.

«Sicuramente» disse il dottore.

Il Diacono rimase senza parole, con la testa in grande confusione. L'incontro con il Codronchi aveva dunque fallito lo scopo che si era proposto e il suo animo era precipitato negli infimi stati della disperazione. L'argomento del dottore, lo stesso del Cardinale della Torre, non ammetteva una possibile confutazione. Che cosa rispondere e come difendersi da chi sostiene che le tue parole sono suggerite dal Demonio in persona? Qualunque cosa tu dica è dunque voce diabolica, per ipocrisia se parli con saggezza, per diretta ispirazione maligna se parli in modo corrotto.

Il Codronchi volle corredare la sua sentenza con una dichiarazione non richiesta che chiarì finalmente al povero Diacono l'errore che aveva commesso rivolgendosi a lui.

«Io devo rendere conto del mio operato alla Sacra Congregazione dei Cardinali nella persona del suo Primo Segretario Reggente, il Cardinale Giandomenico Ripamonti e agli Eminenti Qualificatori del Sant'Uffizio. Come puoi capire è mio dovere e desiderio salvaguardare l'integrità della Santa Madre Chiesa e dei fedeli ai quali il Maligno sputa in bocca ogni notte durante il sonno e arreca danni terribili sia al corpo che all'anima usando il fuoco e l'acqua e il vento secondo la sua convenienza. Devi sapere ancora che molti ossessi circolano fra di noi a nostra insaputa e talvolta a insaputa di loro stessi, come nel caso tuo, per l'astuzia del Maligno che si annida nei loro corpi e che, venuto dagli ardori infernali, ha trovato in essi un rifugio comodo e temperato. In conseguenza di questo stato diffuso dei diavoli che svolazzano come corvi intorno a noi, intenti a penetrare nella prima bocca che si apre, o da altro luogo più segreto e infimo come tu ben sai, abbiamo il dovere di stare in attenzione e di denunciare ogni caso di possessione diabolica. Sempre per queste ragioni che ti ho esposto, dovrò di necessità informare con relazione scritta sia il reverendo Priore del Convento Francescano di via della Scrofa al quale sei associato, sia l'Eminentissimo Cardinale Cosimo Rolando della Torre, mio buon amico, presso la cui Famiglia presti i tuoi servigi.»

Il Diacono ebbe un moto di ribellione.

«Per piacere e in nome di Dio vi prego di non comunicare nulla al Cardinale della Torre. Ne andrebbe di mezzo la mia vita.»

«La tua vita ne andrebbe di mezzo se nessuno provvedesse al tuo esorcismo.»

«Ma il Cardinale è proprio questo che non vuole.»

«Il Cardinale della Torre starebbe dunque dalla parte del Demonio?»

A questo punto il Diacono Baldassarre decise di allontanarsi subito da quell'uomo servile che lui stesso aveva cercato per la propria rovina. Fece un gesto irritato come se volesse gettare via tutto quello che aveva udito dal medico degli indemoniati e uscì di corsa senza salutare. Codronchi lo guardò esterrefatto e non tentò nemmeno di impedire quella fuga precipitosa.

Quinto quadro

Le navi del corteo papale arrivarono in vista del porto di Ostia alle undici del mattino del 28 agosto 1522. Una gran luce nel cielo sembrava voler accogliere in gloria il nuovo Pontefice Adriano VI, ma un venticello leggero che sembrava spingere dolcemente le navi in porto, si mutò improvvisamente in un vento di libeccio così veloce e turbinoso da indurre il Comandante della piccola flotta ad ammainare le vele e a tenersi al largo per non correre il rischio di sfasciare le navi contro le banchine. Il Diavolo, che già aveva reso difficoltoso il viaggio del Papa verso Roma frustando le acque con la coda biforcuta, sembrava non voler rinunciare al suo ruolo disturbatore.

Adriano guardava verso la costa borbottando fra sé invocazioni al Cielo perché ancora una volta non si dovesse dire che i venti gli erano contrari. Da dove vengono i venti? Vengono dal Cielo, e allora perché mai il Cielo doveva ostacolare il suo approdo nel porto della Capitale cristiana, sua Sede designata? Mentre il Papa mormorava le sue preghiere perché si allontanasse quel vento ostile, i marinai non si facevano scrupolo di bestemmiare sulla sua stessa nave. Pareva a loro che il repentino voltarsi del vento a sfavore giustificasse ogni moto d'ira. Tutte le maledizioni, secondo gli uomini di mare, le spazza via il vento quando vengono pronunciate durante la navigazione, e la presenza del Papa non li preoccupava anche perché le sue orecchie straniere non avrebbero mai capito le parole oscene della marineria.

Per più di due ore le navi rimasero in rada davanti al porto di Ostia aspettando che il vento si placasse. Finalmente il Segretario Pontificio si consultò con il Capitano della nave e poi andò a riferire al Papa le difficoltà e domandò se voleva tentare l'approdo su una barca a remi.

«Quale sarà il pericolo dell'operazione?»

«Solo qualche fatica, Santità, ma nessun pericolo.»

«Allora andiamo e che Dio ci aiuti.»

Venne calata in acqua una barca con sei marinai mentre Adriano inginocchiato sulla tolda della nave recitava un'ultima preghiera. Il Capitano avrebbe voluto legarlo temendo che cadesse in acqua, ma Adriano rifiutò quella umiliazione, scese da solo la scaletta e saltò agilmente sulla piccola imbarcazione.

I sei uomini remarono con forza, ma i remi servivano soprattutto per dirigere la barca verso l'approdo e per frenare le bordate improvvise del Libeccio. Il Pontefice stava al centro della barca tenendosi forte con le mani allo schienale e con i piedi alla traversa. Finalmente l'imbarcazione si accostò al molo, venne gettata una gomena per l'ormeggio e due marinai saltarono a terra. Poi uno dei due allungò una mano a prendere la mano del Pontefice che a sua volta fu a terra con un balzo giovanile.

Il gruppo dei Cardinali venuti sul molo in rappresentanza del Sacro Collegio per assistere all'arrivo del Pontefice, stavano ancora commentando le difficoltà del vento e non si erano accorti che Adriano aveva già raggiunto la riva sulla barca ed era sceso su un molo laterale. Appena si resero conto che il Papa era già a terra, si avviarono di corsa al molo piccolo e tutti in gruppo si inginocchiarono, prostrandosi fino a toccare la terra con la fronte. Rimasero in ginocchio solo pochi istanti perché Adriano si avvicinò e con la mano li invitò ad alzarsi. Poi domandò dove si trovasse la chiesa più vicina e volle camminare a piedi in quella direzione.

Dopo la preghiera i Cardinali annunciarono al Pontefice che avevano fatto preparare un banchetto nel castello. Ancora una volta Adriano sconvolse tutti i programmi manifestando il desiderio di mangiare da solo.

I Cardinali si guardarono in faccia sbigottiti, ma il più anziano lo rassicurò.

«Sarà fatto come Sua Santità desidera.»

Lo accompagnarono al castello, e qui il Papa volle fermarsi in una stanzetta riservata alla servitù.

«Sua Santità non desidera visitare il castello?»

«Perché dovrei visitarlo?»

I Cardinali non sapevano che cosa rispondere.

«Per vostra curiosità delle opere d'arte, Santità.»

«Altre cose mi interessano prima delle opere d'arte» rispose freddamente, e andò a sedersi a un tavolino nella stanzetta servile dicendo che desiderava prendere il suo pasto lì in solitudine.

«Mi basta una minestra, una verdura cotta e un boccale di sidro.»

I Cardinali si allontanarono dopo il bacio dell'anello e gli fecero portare da un cameriere una minestrina, un piatto di cicoria amara e un boccale di sidro.

Consumato il suo pasto solitario, Adriano uscì dal castello. Sull'ingresso lo aspettavano i Cardinali che, intimiditi dalla parsimonia del Pontefice, si erano adeguati inghiottendo qualcosa in fretta e in piedi, rinunciando a malincuore alle pernici salmistrate e al cinghialetto al Madera con le olive nere del banchetto.

Il Papa salì su una mula bianca e disse che desiderava essere guidato verso Roma. La prossima tappa sarebbe stata la Basilica di San Paolo fuori le Mura dove l'indomani avrebbe incontrato il Sacro Collegio dei Cardinali per la cerimonia di accoglienza.

XVII

Ogni volta che i suoi pensieri si volgevano all'infuori nel breve tempo del sonno cinese, davanti agli occhi del Cardinale della Torre appariva, come una ossessione, l'immagine di Palmira distesa sul letto che si offriva nuda ai desideri del Cardinale Ottoboni. Fantasie ricorrenti che trovavano la loro unica giustificazione nelle poche notizie avute dal Diacono Baldassarre e da qualche altra voce arrivata nella Casa attraverso le donne della cucina che raccoglievano le dicerie giornaliere al Mercato delle Coppelle o al Campo de' Fiori. Che Palmira facesse la prostituta al Pozzo Bianco, come ormai era accertato, a lui non importava gran che, purché non entrasse nel letto del Cardinale Ottoboni. Ma quella storia dei riccioli rossi sulla statua di zucchero aveva aggiunto un nuovo turbamento e nuova materia per le sue fantasie. Come se li era procurati il Cardinale Ottoboni quei riccioli rossi delle intimità di Palmira? Con quali promesse o con quali inganni? Lui stesso aveva provveduto a tagliarli? E questo, prima o dopo l'amplesso?

Le immagini del tradimento erano troppo assidue nella mente del Cardinale della Torre, perché a lui stesso non venisse il sospetto che la gelosia era un pretesto per tener vivo il ricordo dell'unico vero sentimento d'amore che avesse mai attraversato la sua vita e per assistere, come in un teatro, alle scene turpi ma eccitanti del tradimento prodotte dalla sua immaginazione.

Nei tempi migliori, aveva deciso Cosimo Rolando, nessuno gli avrebbe impedito di riportare Palmira a vivere nella sua Casa. Ma quando sarebbero arrivati i tempi migliori? Da quando era suonato il suo cinquantesimo anno il Cardinale si vedeva sfuggire la miglior sorte e le occasioni della convivenza con Palmira, che intanto si consumava nella prostituzione da strada. Purtroppo il Papa fiammingo minacciava fulmini e tempesta. La sua unica risorsa ormai era quella di prepararsi a sfidare i fulmini e la tempesta. Il coraggio ce l'avrei, si diceva il Cardinale ripetendo la battuta di un famoso buffone del teatro romano, ma è la paura che mi frega. E Adriano VI aveva messo paura a tutti prima ancora di arrivare a Roma.

La notizia dell'arrivo del Pontefice nel mare agitato di Ostia scatenò altre fantasie e sogni inquieti che turbarono le lunghe notti del Cardinale Cosimo Rolando della Torre. Tenebre, vento, fortuna di mare, diluvio d'acqua, selve infocate, pioggia, saette del cielo, terremoti e ruina di monti, spianamenti di città. Venti revertiginosi che portano acqua, rami di piante e omini infra l'aria. Dopo quei sogni di fuoco e di tempesta il Cardinale si alzava dal letto con così forti emicranie che ne stordivano l'intelletto e spingevano i suoi passi senza una meta in giro per la casa, quasi senza facoltà di parola e desiderio di pensiero. In quelle occasioni gli specchi appesi alle pareti parevano rianimare gli spiriti offesi e riaccendere qualche lume nella sua mente turbata.

Lo specchio riflette qualcosa più che la superficie di un volto, ne riflette anche i segreti sentimenti, le emozioni, le intenzioni che si vorrebbero dissimulare. Lo specchio insomma riflette l'anima di una persona, si era sorpreso a pensare il Cardinale, purché questa persona ce l'abbia un'anima. Si avvicinò allo specchio che aveva acquistato da pochi giorni da un mercante andaluso, uno specchio tondo non più grande di un cappello cardinalizio, con la superficie convessa e una bella cornice dorata con una decorazione di palline ricoperte di oro zecchino. Lo aveva battezzato Specchio delle Molteplici Figure perché dilatava lo spazio intorno e rifletteva immagini di un più vasto orizzonte che comprendeva tutte le persone e le cose che si trovassero nel salone.

Il Cardinale guardò da vicino il proprio volto riflesso in quel cristallo convesso e ne ebbe orrore. Quelle labbra tumide, quegli occhi sporgenti come di un rospo, quel naso gonfio e deforme. Si sforzò di sorridere e si soffermò a guardare i suoi denti grandi e lunghi come i denti dei cavalli. Per un istante ne ebbe paura come se potessero morderlo. Difficilmente i cavalli mordono gli uomini, ma i draghi? Quelli non erano denti di cavallo ma di un drago spaventoso, una minaccia e un pericolo. Aveva sentito da uno scrittore cispadano l'affermazione grottesca che i denti sono lo specchio dell'anima. Che fosse quella orribile figura riflessa nello specchio andaluso la sua immagine veritiera? Oppure quello specchio rifletteva soltanto la sua peggiore metà? O più semplicemente proponeva una maschera, menzognera come tutte le maschere? Pensò di nominarlo Specchio della Minor Sorte, così come venivano nominate le prostitute di grado infimo. Oppure Specchio delle Maschere perché rifletteva comunque una immagine carnevalesca di qualsiasi volto, foss'anche il Papa.

Il Cardinale stava ancora lì a meditare sul titolo da assegnare a quel vetro deformante, quando il vecchio Maestro di Camera si presentò nel Salone degli Specchi per annunciargli, con una faccia lunga e spaurita, la notizia orribile: il giovane Diacono Baldassarre era rientrato a mezza mattina pallido come un fantasma e si era messo a letto annunciando che aveva la peste.

Il Cardinale chiuse gli occhi disperato.

«Non è possibile!»

Il suo volto si infuocò per la collera e impallidì per lo spavento.

«Ma perché l'avete fatto entrare? Introdurre in casa un appestato, sia pure un membro della Famiglia, non è un gesto di pietà cristiana» aveva dichiarato con voce tremante «ma soltanto una manifestazione di totale e caprina incoscienza.»

«Eminenza» si giustificò il vecchio Maestro di Camera «il Diacono Baldassarre non ha detto niente quando è entrato in Casa. Prima si è messo a letto, poi ha chiesto un bicchiere di latte fresco e un cucchiaio di miele dicendo che si sentiva bruciare da una gran febbre. Solo quando il Cuoco è salito a portargli il latte e il miele gli ha detto che aveva dei bubboni neri all'inguine e sotto le ascelle. Allora il Cuoco è scappato via ed è sceso a precipizio per avvertirmi che avevamo in Casa un appestato. Così è andata, Eminenza.»

«Tutte le mie attenzioni per salvare la Famiglia dal contagio sono state annientate dal gesto scriteriato del nostro Servitore di Camera. Un gesto addirittura criminale se vogliamo mettere in conto che sicuramente sapeva di avere la peste prima di entrare nella nostra Casa.»

Il Cardinale si asciugò il sudore dalla fronte con il largo fazzoletto di lino orlato di porpora, poi se lo passò intorno al collo allargando il collarino e sibilò fra i denti:

«Questo è un crimine ispirato dal Demonio, non ci sono dubbi. Satana ha assediato la nostra Casa».

«Che cosa dobbiamo fare, Eminenza?»

«Siete voi che dovete dirmi che cosa dobbiamo fare. Ma la vostra indolenza non mi sorprende: voi siete vecchio e vi importa assai poco di morire. La vecchiaia vi ha reso egoista, ma l'egoismo è un peccato anche alla vostra età.»

«Ho quasi ottant'anni, Eminenza, ma non vorrei morire prima del tempo stabilito dal Cielo, e soprattutto non vorrei morire di peste.»

«E allora perché vi comportate con indifferenza di fronte a questa calamità che mette in pericolo le nostre vite?»

«Eminenza, ho paura anch'io come tutti i cristiani di questo infelice mondo, ma cerco di dominare i miei sentimenti. Dietro la mia calma apparente c'è una paura di morire sicuramente pari alla vostra, nonostante la mia età avanzata.»

Il Cardinale chinò la testa sul tavolo e la strinse con tutte e due le mani. Rimase immobile per lunghi istanti con gli occhi chiusi, poi si rialzò per fissare lo sguardo sul Maestro di Camera.

«In nome di Dio decidete qualcosa. Siete il Maestro di Camera di questa Casa ed è compito vostro dare disposizioni in questa disgraziata emergenza. Dovete sapere voi che cosa conviene fare.»

Il vecchio lo guardò spaurito.

«Io non lo so, Eminenza.»

«Niente vi suggerisce la vostra età e la vostra esperienza? Sarebbe questa la saggezza per cui vi ho assunto come guida della mia Casa? Posso dirvi in tutta sincerità che ne ho le scarpe piene della vostra saggezza indolente e svaporata.»

Il Maestro di Camera aprì le braccia in preda alla confusione.

«Ho pregato San Marziale Vescovo di Limoges, addetto alle epidemie, affinché tenga lontana la peste dalla nostra Casa.»

«San Marziale non vi ha dato ascolto perché la peste è entrata nella Casa nonostante le vostre preghiere. Avete qualche altra proposta?»

«Possiamo bruciare delle erbe per purificare l'aria.»

Il Cardinale reagì spazientito.

«E allora che cosa aspettate? Ci sono in Casa queste erbe?»

Il Maestro di Camera si avvicinò al fiocco appeso a un cordone vicino alla parete e lo scosse più volte. Giù dal basso risuonò una campanella e dopo pochi istanti si presentò sulla porta un inserviente trafelato.

«Riferisci al Cuoco di provvedere subito a purificare l'aria della Casa con tutti i mezzi di cui dispone, fumigazioni, vapori, lavaggi o che altro. E se non ci sono in Casa erbe aromatiche per fumigare la Casa, se le procuri dallo speziale: artemisia, canfora, ginestra, mirto, alloro, rosmarino.»

Il Cardinale si mise le mani nei capelli.

«Ma quelle sono erbe per insaporire i capponi o i porcelli allo spiedo! Queste sarebbero le vostre cognizioni di farmacopea?»

«Si potrebbe aggiungere un po' di ambra grigia, ma devo informare vostra Eminenza che costa quanto l'oro. Si importa da Giava, dal Madagascar, dalla Cina e non è facile trovarla a Roma. Pare che anche l'incenso purifichi l'aria, ma da quando c'è la peste se ne fa un uso abnorme in tutte le chiese e perciò è diventato una costosa rarità. Oppure qualche pizzico di zolfo, ma ci farà piangere e tossire.»

«Si aggiunga lo zolfo» disse il Cardinale.

L'inserviente guardò stupito e preoccupato il vecchio Maestro di Camera, diede una occhiata al volto congestionato del Cardinale, fece un rapido inchino e ritornò al piano di sotto per riferire al Cuoco.

«La funzione del Maestro di Camera» disse il Cardinale masticando le parole «è anche quella di fronteggiare le improvvise emergenze come questa. Adesso avete dato ordine di bruciare delle erbe. Credete forse che io sia soddisfatto di questa decisione?»

«Devo ricordarvi, Eminenza, che finora nessuno ha trovato un rimedio contro il contagio.»

«Non sto parlando di rimedi» disse il Cardinale «sto lamentandomi perché non si è fatta buona guardia alla Casa. Avete fatto entrare un appestato, un fatto così grave che non ha bisogno di commento ma solo di riprovazione. Voi sapete o no che nelle ultime due settimane in città sono morte di peste dalle sette alle otto persone ogni giorno, e che la mortalità è ancora in aumento senza riguardi per nessuno? Devo essere io a spiegarvi che si impongono cautele adeguate al pericolo?»

Il Maestro di Camera cominciava a infastidirsi di essere messo sotto accusa per un evento che nessuno poteva prevedere.

«Se è per questo, quattro giorni fa sono morte di peste dodici persone, Eminenza, non sette o otto.»

«E allora? Credete che sia una notizia pertinente o una giustificazione alla vostra indolenza?»

«Voglio dire che la peste avanza e tutti siamo spaventati. Se avessi saputo che il Diacono Baldassarre portava il contagio avrei preso i provvedimenti necessari. Ma come potevo immaginarlo?»

«Avete poca immaginazione, e a questo non c'è rimedio, ma non sapete nemmeno che cosa succede nella Casa di cui avete il governo. Tutti sanno che il nostro Servitore di Camera è posseduto dal Demonio, ma voi lo ignorate, voi tenete ben chiusi sia gli occhi che le orecchie.»

Il Maestro di Camera non sapeva come esprimere la sua meraviglia.

«Nessuno mi ha informato che il nostro Diacono è posseduto dal Demonio e la mia scarsa immaginazione non mi ha illuminato in proposito. Francamente non mi aspettavo che insieme alla peste fosse entrato nella nostra Casa anche Satana.»

«Chi poteva mai indurre il nostro Diacono a portare la peste nella Casa dove ha trovato sempre ogni conforto materiale e spirituale? Chi altro se non il

Demonio che alloggia nel suo corpo e corrompe i suoi sentimenti? Vi ricordo in questa penosa congiuntura che l'ignoranza è peccato.»

«C'è la scienza del prima e quella del dopo, Eminenza. Come potevo pensare che era cresciuto nella nostra Famiglia un essere così perverso da desiderare la nostra rovina e morte? E che Satana concorresse con la sua presenza alla nostra cattiva sorte?»

«Così nella Casa è entrato il Demonio a vostra insaputa e ora, a vostra insaputa, è entrata anche la peste nera.»

Mentre il Cardinale stava rimbrottando il Maestro di Camera, un fumo bianco e denso insieme a un odore acre di zolfo cominciò a salire dalle scale e a invadere tutta la Casa. Penetrò a ondate anche nel Salone degli Specchi e il Cardinale cominciò a tossire.

«Serviranno a qualcosa questi fumi?»

Il vecchio Maestro di Camera prese a tossire anche lui e i suoi occhi cominciarono a lacrimare.

«Si dice che purificano l'aria, ma niente di più. Il Cardinale Mattei pare che abbia chiamato dei profumieri da Parigi per fumigare il suo palazzo alla Lungaretta, ma si mormora che uno di questi sia morto di peste. La peste è cieca, Eminenza.»

«Io non mi posso permettere i lussi del Cardinale Mattei. Devo accontentarmi di queste fumigazioni improvvisate che certamente serviranno a farci soffocare se non apriamo le finestre.»

Dopo la tosse il Maestro di Camera fu preso da una improvvisa crisi di soffocamento e cominciò a muovere le mani davanti alla bocca per disperdere quel fumo acre che entrava a fiotti dalla porta e gli toglieva il respiro. Il Cardinale aprì una finestra e insieme al Maestro di Camera si affacciò per respirare.

«Che sciagura e che infamia, maledetto il Cielo!» disse il Cardinale tossendo.

«Se per Cielo intendete Dio, voi state bestemmiando, Eminenza.»

Il Cardinale fece un gesto di fastidio senza rispondere.

Dalla scala vennero improvvisamente delle voci di allarme. Era il Cuoco che gridava e tossiva in mezzo al fumo.

«Il fuoco! Il fuoco! Correte con l'acqua, bastardi!»

Un corri e fuggi su e giù per la scala, le maledizioni del Cuoco, e poi lo scroscio dei secchi d'acqua per spegnere le fiamme che si erano appiccate a una pesante tenda di velluto e ora lambivano il soffitto a cassettoni. Il Cuoco gettò ancora dell'acqua sulla tenda in fiamme, poi si aggrappò alla stoffa annerita che continuava a bruciare e vi si appese con tutto il peso del corpo fino a quando la tenda precipitò sul pavimento e le fiamme si spensero in uno sfrigolio e una fumata bianca di vapore.

Il Cardinale si era allontanato dalla finestra e affacciato sulla scala dove due inservienti stavano gettando altri secchi d'acqua sulla tenda ancora fumigante. Si mise le mani nei capelli.

«Prima la peste e poi i fumi di zolfo e il fuoco. Il Demonio ha preso d'assedio la mia Casa, e i miei Famigliari gli hanno spalancato le porte.»

Per qualche istante il suo pensiero corse con rabbia al Cardinale Ottoboni. Stava proprio perdendo la partita con tutte quelle sciagure che improvvisamente si erano abbattute come un turbine a piazza dell'Oro. Chiuse gli occhi per non vedere lo scempio.

«Il fuoco è ormai spento con poco danno, Eminenza» annunciò il Cuoco nascondendo sotto il grembiale le mani ancora nere.

«Il fuoco si può spegnere con qualche secchio d'acqua, ma la peste nessuno sa come si spegne.»

Il vecchio Maestro di Camera aprì la bocca per parlare, borbottò qualcosa senza finire la frase e infine agitò le mani per scacciare insieme, come fossero galline, le sciagure del fuoco e della peste.

Il fumo finalmente cominciò a diradarsi e il Cardinale andò a chiudere la finestra.

«Tutta l'aria è corrotta dalla peste sia in Casa che fuori» disse il vecchio Maestro di Camera «e non si capisce se conviene tenere le finestre chiuse o aperte.»

«Da noi la peste non è entrata dalla finestra ma dalla porta principale» disse il Cardinale con voce disperatissima.

Arrivarono due inservienti con le scope e i canovacci per ripulire la scala e portare via la tenda ridotta a uno straccio annerito dalle fiamme che cacciava ancora sbuffi di vapore.

Dal piano di sopra si sentirono dei gemiti e poi una voce d'affanno. Era il Diacono che si lamentava dal suo letto.

«Portatemi un po' d'acqua perché ho le fiamme in tutto il corpo e la febbre mi arroventa la lingua e la testa! Anima mia, anima mia non mi abbandonare!»

Il Cuoco che stava sulla scala insieme a due inservienti salì fino alla porta del malato. La sua idea era quella di chiuderlo dentro, ma il Diacono aveva tolto la chiave forse proprio per evitare una prigionia forzata come giustamente aveva previsto. Si sapeva che in molte case cittadine i famigliari avevano rinchiuso i loro malati e li avevano lasciati morire soli e prigionieri.

Dall'interno della camera si udì di nuovo la voce dell'appestato.

«Portatemi subito da bere e non fate finta di non sentire! Io lo so che c'è qualcuno dietro la porta. Se non mi portate subito un po' d'acqua verrò io in cucina a prenderla con le mie mani.»

A quella minaccia il Cuoco si decise a rispondere.

«Ti manderò su da bere acqua e latte fresco, ma adesso stai calmo e non ti muovere dal letto.»

«Come faccio a stare calmo con la febbre che mi fa bollire come le vampe dell'Inferno? Sto bruciando in tutto il corpo, i piedi la pancia le orecchie la lingua, sono tutto un fuoco! Se non mi date da bere mi alzerò dal letto e scenderò nelle cucine!»

«Non ti muovere e avrai subito tutto quello che vuoi per rinfrescarti la gola.»

Il Cuoco corse giù per le scale. Trovò il Cardinale sul pianerottolo.

«Ho sentito la voce del nostro Servitore di Camera. Portagli quello che desidera altrimenti quell'ossesso scenderà davvero nelle cucine.»

Il Cuoco guardò il Cardinale con sgomento.

«Il Diacono Baldassarre ha la peste nera, Eminenza.»

«E allora? Che ha la peste lo sappiamo ed è già

una grave sciagura, ma se lo lascerai scendere nelle cucine saremo tutti morti.»

«Nessuno avrà il coraggio di entrare nella camera di un appestato, Eminenza Reverendissima.»

«Se nessuno della Famiglia vuole entrare nella stanza del nostro Diacono, entrerai tu.»

«Io ho paura, Eminenza.»

«Tutti abbiamo paura della peste.»

«Mi dovete perdonare, ma io non ho il coraggio di entrare nella sua camera. Sono già mezzo morto, tremo dalla testa ai piedi.»

«Ma perché devi proprio entrare? Lascerai le bevande davanti alla porta e lui verrà a prenderle.»

«E se non ha la forza di alzarsi?»

«Allora non sarà nemmeno capace di scendere nelle cucine. Adesso non dormire sui piedi, sei tu il Cuoco della Casa e tocca a te difendere il luogo dove si preparano i cibi per la Famiglia.»

Il Cuoco fece un inchino e scese le scale di corsa.

Nel pomeriggio il Cuoco bussò alla porta del Salone degli Specchi. Il Cardinale lo fece entrare.

«Quali brutte novità mi porti?»

Il Cuoco esitò per qualche istante prima di rispondere.

«Il Diacono ha manifestato il desiderio di confessarsi prima di morire.»

Il Cardinale si oscurò in volto, mentre il Cuoco esponeva, tutto d'un fiato, la seconda parte del suo messaggio.

«Vuole che andate voi in persona a raccogliere la sua confessione.»

Il Cardinale rimase dapprima interdetto, poi si sforzò di sorridere. Che arroganza, pensò tra sé mentre faceva un gesto per congedare il Cuoco che si allontanò in fretta.

Il Cardinale si disse che in qualche modo doveva rispondere alla provocazione del suo Servitore di Camera. Perché mai il giovane Diacono, pensando che il Cardinale non sarebbe mai entrato nella sua camera, aveva deciso di umiliarlo? Poteva trattarsi di una vendetta, ma era verosimile che un uomo ormai certo di morire entro pochi giorni avesse ancora il desiderio di vendicarsi? E di che? Qui si disse che qualche ragione di risentimento ce l'hanno tutti nei confronti di tutti. Sicuramente il Diacono appestato contava sulla paura del contagio che avrebbe indotto il Cardinale a temporeggiare o a sottrarsi al dovere di raccogliere la sua confessione. Insomma c'era qualcosa che non lo convinceva in quella richiesta così arrogante.

Che fare? Il Cardinale, nonostante le apparenze, era un uomo vile nella sostanza e, come tutti i vili, se provocato era capace di gesti forti e coraggiosi. Si disse che se il Diacono fosse guarito e lui avesse rifiutato di confessarlo, la sua autorità si sarebbe appannata agli occhi di quel giovane, e questo non gli importava più di tanto, ma anche di fronte ai Famigliari e in seguito di fronte a tutta la chiacchierona e maliziosa Curia Romana. Doveva dunque accettare la sfida e andare a raccogliere la confessione di quello sciagurato.

Il Cardinale scese nelle cucine, chiese la brocca dell'aceto, lo fece versare in una bacinella e vi immerse le mani. Il Cuoco lo guardava stupito senza avere il coraggio di chiedergli la ragione di quel lavaggio.

«Il nostro Servitore di Camera ha chiesto di essere confessato. È mio dovere esaudire il suo desiderio.»

Il Cuoco lo guardò sbigottito.

«E andrete dunque a confessarlo nella sua camera?»

«Certamente.»

Il Cardinale tolse le mani dalla bacinella e se le asciugò in una salvietta che prontamente il Cuoco gli aveva spiegato davanti.

«Dunque entrerete nella sua camera» ripeté incredulo il Cuoco.

«E come dovrei confessarlo, attraverso il buco della serratura?»

Per un istante il Cardinale si rese conto che le sue parole contenevano un suggerimento. Perché no? Avrebbe potuto confessare l'appestato attraverso il buco della serratura. Ma perché sprecare con un sotterfugio indecoroso l'occasione di un gesto temerario che in breve avrebbe fatto il giro di Roma? Sarebbe dunque entrato nella camera a suo rischio, affidandosi alla buona sorte che finora lo aveva sempre assistito. Il Cuoco non osò fare commenti. Poi abbassò la testa in segno di contrizione.

«Mi vergogno, Eminenza, di non avere il coraggio di entrare nella camera del Diacono Servitore.»

«Non vergognarti. Anch'io ho paura della peste, ma ho verso la mia Famiglia dei doveri che tu non hai.»

Il Cardinale si avviò a lenti passi su per le scale senza tradire la furia che aveva in corpo. Arrivò fi-

nalmente davanti alla camera del Diacono. Bussò
due o tre colpi leggeri alla porta.

Si sentì una voce dall'interno.

«Chi è?»

«Sono il Cardinale Cosimo Rolando della Torre.
Mi hai mandato a chiamare, e io sono venuto a confessarti.»

Prese la maniglia per aprire la porta. Era chiusa a
chiave dall'interno.

«Se vuoi che ti confessi devi farmi entrare. La porta è chiusa a chiave.»

Silenzio dall'altra parte.

Il Cardinale bussò una seconda volta. Si sentì ancora la voce del Diacono, questa volta debolissima.

«Mi dovete perdonare, Eminenza, ma non ho la
forza di alzarmi dal letto. Non posso aprirvi la porta,
ma vi ringrazio di essere venuto.»

«Vuoi dunque morire nel peccato?»

Di nuovo una voce debole e lontana.

«Mi confesserò domani mattina, se non muoio durante la notte.»

«Ma perché hai voluto che venissi proprio io a
confessarti?»

«Volevo salutarvi prima di morire.»

«E per salutarmi hai chiuso a chiave la porta della
tua camera?»

«Mi sento male, ho la febbre, Eminenza, non so
bene quello che faccio.»

Come è difficile capire gli uomini, i loro comportamenti e i loro pensieri, si disse il Cardinale mentre
si avviava lentamente giù per la scala, e come è facile
pensare dei medesimi uomini le peggiori cose. Ma
come tutto diventa vano e vuoto, pensieri e compor-

tamenti, di fronte a una immane sciagura come la peste, borbottò tra sé mentre gettava una occhiata al pavimento che ancora portava i segni neri dell'incendio. Il Cardinale si rifugiò quindi nel Salone degli Specchi insieme ai suoi cattivi pensieri.

XVIII

Neri cavalieri scorrazzavano per le strade polverose impugnando le mazze con le quali sfondavano le porte non armate di ferro e le finestre delle case, dove rubavano e guastavano ogni cosa. In quei giorni di gran spavento per la peste e per il quotidiano brigantaggio, i cittadini vivevano in allarme e stavano rinserrati nelle case o uscivano soltanto per il lavoro o per estreme necessità. Le strade erano quasi sempre vuote sia il giorno che la notte. Roma non è più Roma, dicevano tutti, Romani e forestieri.

Il Capitano di Giustizia non si occupava della sicurezza dei cittadini, ma badava solo a taglieggiare gli arrestati e a depredare i predoni prima di avviarli alle carceri. I gendarmi, che avrebbero dovuto proteggere la povera gente, si comportavano come padroni della città e non perdevano occasione di usare violenza alle donne honeste di qualsivoglia età, e quelle tali che consentire non voleano alle lascivie loro le prendevano per le trezze, le strapazzavano e poi le mettevano carcerate nelle torri. Nessuno osava fare denunzie dei facinorosi per non buscare bastonate e peggiore servigio.

Il pesante cancello di ferro che il Cardinale della

Torre aveva fatto montare davanti al portone di ingresso aveva lo scopo di proteggere la Casa durante la notte ma anche di scoraggiare i banditi, o i sicari, che avessero mai intenzione di sfondare il legno con le mazze. Subito dopo il Conclave che aveva visto l'elezione del Papa fiammingo, gruppi di banditi, ai quali spesso si erano associati anche vagabondi sulla strada, avevano saccheggiato varie dimore di Cardinali che, sentendosi in grave colpa, in qualche caso avevano addirittura lanciato dalle finestre oggetti d'oro e d'argento purché venissero risparmiate le persone.

Roma non è più Roma, si ripeteva da ogni parte. Aveva proprio ragione il Santo di Chiaravalle che aveva definito i Romani come temerari, sediziosi, inumani, ingrati, adulatori, dissimulatori, detrattori mordacissimi, stolti, avventati, fatui, insipienti e ingiusti. Malagente.

Nel mezzo della notte si sentirono dall'alto delle scale le grida del Diacono Baldassarre che risuonarono nella Casa e svegliarono tutti i membri della Famiglia. Ma per la verità molti a quell'ora erano ancora sotto i lenzuoli con gli occhi spalancati nel buio perché poco e male si dorme nella Casa dove alloggia un appestato. Nemmeno il Cardinale dormiva e per un attimo, sentendo quelle grida, aveva creduto che fosse in corso una aggressione dalle finestre, secondo la nuova strategia adottata dai briganti dopo che molte case avevano rinforzato le porte sulla strada.

Il Cardinale Cosimo Rolando era rimasto in ascolto dietro la porta della sua camera. Le grida venivano dal piano di sopra e da una sola voce, quella del Diacono Servitore di Camera. Non erano dunque i briganti.

Il giovane aveva indossato in fretta un mantello, si era affacciato alle scale e aveva cominciato a gridare e a battere i piedi.

«Dio del Cielo sono guarito, sono stato miracolato! Non ho più la peste!»

I componenti della Famiglia del Cardinale rimasero da prima sconcertati, non potevano credere alle parole del Diacono urlante. Attribuirono le sue scalmane a quei flussi improvvisi di congestione febbrile che spesso nei malati gravi precedono e annunciano la crisi ultima e mortale. Tutti i Famigliari dunque si affacciarono alle scale e poi di nuovo si rinchiusero nelle loro camere per non avere contatto con quell'energumeno portatore di contagio. Nessuno diede credito alla sua guarigione improvvisa. E anche il Cardinale rimase chiuso prudentemente nella sua camera.

Il Diacono continuava a proclamare il miracolo a gran voce dalla cima delle scale, scese fino al pianoterra, poi risalì di corsa continuando a gridare.

«Guardatemi per piacere! Non ho più i bubboni, sono guarito! Affacciatevi amici, uscite dalle vostre stanze e venite a guardarmi senza paura. La mia pelle è tutta chiara e sanata dalla peste.»

Il giovane Diacono a un tratto aveva gettato via il mantello e così denudato, spoglio e peloso come una scimmia, andava su e giù per le scale a mettere in mostra la sua guarigione. Alzava le braccia perché tutti vedessero che non aveva bubboni sotto le ascelle e mostrava l'inguine senza macchie. Ma nessuno stava di fronte a lui. Sicuramente i membri della Famiglia lo stavano spiando dai buchi delle serrature o comunque ascoltavano le sue parole gridate a gran voce, ma non osavano uscire dalle loro stanze.

«Miracolo miracolo!» gridava. «Sono stato miracolato dalla Madonna.»

Il Diacono si avvicinò alla porta del Cardinale e bussò con energia.

«Sono il vostro Servitore di Camera, Eminenza. Sono guarito, mi sento un leone. Ero già morto, avevo addosso segni di peste e di morte sicura, poi mi sono rivolto alla Madonna che mi ha fatto la grazia. Adesso ho vinto la peste per volontà di Dio e della Madonna. Ne sono testimoni» e qui il Diacono fece una pausa «gli Angeli del Cielo. Guardatemi in nome di Dio!»

Il Cardinale stava ancora dietro la porta mentre il Diacono continuava a rivolgersi a lui con impeto, a voce alta.

«Mi sono raccomandato, Eminenza, alla Madonna delle Grazie che mi ha resuscitato.»

Il Diacono si avvicinò alla porta per parlare a voce più bassa.

«Voi solo potete capire la mia disperazione di ieri, Eminenza, perché eravate al corrente del mio stato, voglio dire del fatto che ero posseduto dal Demonio. Che cosa succede all'anima di un indemoniato quando muore? Questo mi domandavo. Va in Purgatorio o viene trascinata diritta nelle fiamme dell'Inferno?»

Il Cardinale improvvisamente spalancò la porta e si trovò davanti il giovane Diacono completamente nudo. Colto di sorpresa, il giovane fece un balzo all'indietro. Ma si riprese subito e mostrò al Cardinale le ascelle e l'inguine senza macchie.

Il Cardinale lo guardò con occhi severi.

«E non ti vergogni a mostrarti in tale sconcia nudità?»

«La mia felicità, Eminenza, ha cancellato ogni pudore e perciò la nudità non mi disdice. Guardate qua, guardate le mie ascelle, guardate l'inguine sano. Non mi pare vero, Eminenza, che la Madonna si sia degnata di farmi questa grazia rimettendomi in vita quando già ero morto come tanti infelici in questa città.»

Il Cardinale osservò attentamente, senza avvicinarsi troppo, le ascelle e l'inguine del Diacono. Nessuna traccia dei neri gonfiori della peste. Per quanto non avesse mai visto un appestato da vicino, il Cardinale ben sapeva quali erano i segni del contagio e perciò dovette ammettere che il Diacono Baldassarre era perfettamente sano a giudicare dall'aspetto del suo corpo nudo.

«E adesso vai a vestirti per non dare scandalo nella Casa che ti ospita. O ti credi abilitato a ogni follia in nome della Madonna?»

«Non credete che Dio mi perdonerà per questa licenza?»

«Perfino i "Santi folli" di Bisanzio che si mostravano nudi come vermi nel nome di Dio hanno pazientato per qualche secolo prima che le loro stravaganze venissero accettate e glorificate.»

Il Diacono non si perse d'animo di fronte all'ironia del Cardinale.

«Io sono così felice, Eminenza, che non mi accorgo di stare nudo. E per la verità mi pare che voi stesso sotto la veste di Cardinale non portate niente, e più di una volta avete detto che d'estate andate in giro con le palle al vento. Scusatemi, Eminenza, ma l'avete detto voi con la vostra voce e io l'ho udito con le mie orecchie. Per questo non mi sembrava di offendere nessuno mostrandomi nudo in questo frangente. Perdonatemi se ho sbagliato.»

Il Cardinale lo guardò sorpreso per quella libertà di parole del tutto insolita nelle persone della Famiglia.

«Adesso andrai a vestirti e poi rimarrai nella tua camera fino a domani a ringraziare la Madonna.»

Il giovane Diacono salì in fretta la scala che lo portava alla sua camera dove si rinchiuse e rimase sul letto fino al mattino seguente.

L'indomani di buon'ora un inserviente si presentò nella camera del giovane Servitore di Camera per annunciare che il Cardinale lo aspettava nel suo studio. Il Diacono si vestì alla svelta e si presentò nel Salone degli Specchi con un certo sussiego ebete e felice. La sua condizione di miracolato pretendeva secondo lui una speciale considerazione.

Il Cardinale lo accolse con un leggero sorriso.

«Sono felice di vederti in buona salute, ragazzo mio.»

«Vi ringrazio, Eminenza.»

Un silenzio, durante il quale il Cardinale sorbì lentamente una tisana di malva che prendeva ogni mattina prima della colazione.

«Mi vorresti raccontare quando ti sei accorto di avere sul tuo corpo i segni della peste?»

«Se non sbaglio me ne sono accorto nella notte che rimasi a dormire nella Locanda del Fico dove alloggia mia sorella Fiorenza.»

«L'ho vista un paio di volte questa tua sorella bighellona. Una giovane di bella vista, generosamente dotata da madre natura.»

Il Diacono abbassò lo sguardo vergognandosi e si domandò perché mai il Cardinale volesse umiliarlo ricordandogli con sottile malizia le doti naturali della sorella.

«Perché non ricordi il momento esatto in cui hai scoperto di essere malato? Un fatto così grave non si dimentica facilmente, direi anzi che dovrebbe rimanere stampato nella memoria con grande precisione di luogo e di tempo.»

«Durante quella notte mi sono sentito la testa in fiamme e dolori in tutto il corpo. Allora mi sono guardato sotto le ascelle e ho visto quei bubboni che tutti riconoscono come i segnali della peste. Mi guardai l'inguine e anche lì scorsi delle macchie nere sopra i gonfiamenti della pelle.»

«E a chi hai mostrato quei segni del contagio?»

«A nessuno, Eminenza.»

«Nemmeno a tua sorella?»

«Nemmeno a lei.»

«E perché mai?»

«Quando si fosse scoperto che avevo il contagio tutti mi avrebbero evitato. E poi è sempre una donna, anche se sorella.»

«Ne avrebbe sofferto il suo pudore a vederti nudo?»

Il Cardinale fece una pausa, forse aspettando una risposta. Ma il Diacono tacque.

«E così hai pensato di portare la peste nella nostra Casa.»

«Sono venuto nella Casa per cercare un rifugio al mio malessere, non per portare il contagio. Speravo di trovare comprensione e conforto e invece ho trovato soltanto paura e ostilità. Ma dite pure a tutti che li ho perdonati.»

«E poi hai voluto seminare il panico nella Famiglia minacciando di entrare nelle cucine.»

Il giovane Diacono chinò il capo in segno di pentimento.

«Non capivo più quello che stavo facendo, la malattia mi aveva fatto bollire la mente.»

«Di solito i malati di peste cadono in crisi di depressione, non parlano, non gridano, non minacciano, perché la malattia fiacca il loro fisico e abbatte ogni energia dello spirito. Tu invece sembravi averne fin troppa di energia. Questa è una stranezza che non so come spiegarmi.»

«Si dice che la febbre qualche volta dà una forte eccitazione ai malati e sommuove tutti i loro umori. Sarà successo a causa della febbre.»

«Io ho sentito la tua voce quando chiedevi aiuto e poi ancora quando minacciavi di scendere nelle cucine. Allora non ho capito se eri eccitato dalla febbre al punto che avresti potuto scendere le scale e arrivare alle cucine, oppure se eri così sfinito, come dicesti quando sono venuto per confessarti, che non riuscivi nemmeno ad alzarti dal letto. Sono due verità che non stanno insieme.»

Il Diacono avrebbe preferito non rispondere, ma il Cardinale stava lì davanti a lui e lo fissava aspettando una risposta.

«Mi riesce difficile, Eminenza, parlare di quando avevo perso i lumi della ragione a causa della malattia. La coscienza è incerta e la memoria mi tradisce.»

«Adesso mi pare che i lumi li hai riacquistati e io la domanda te la faccio ora, non allora.»

Di nuovo il Diacono si concentrò per dare una risposta credibile.

«Vedo che devi pensarci prima di rispondere» disse il Cardinale. «La verità ti sfugge?»

«La verità è, Eminenza, che la mia mente era insana per la febbre e non ero in grado di calcolare le mie forze. Per questo pensavo che sarei riuscito a scendere le scale fino alle cucine.»

«Allora confermi che volevi appestare tutta la Casa. Come si concilia questa intenzione malvagia con la grazia che dici di avere ricevuto dalla Madonna?»

«La Madonna qualche volta perdona i peccatori.»

«Secondo te lascia morire di peste tante persone oneste e buone, e protegge i malvagi?»

«Io non sono una persona malvagia.»

Il Cardinale riprese a sorbire la sua tisana in silenzio. Poi scrutò in volto il giovane Diacono e cambiò voce e discorso.

«Sai che cosa penso di te?»

«Che cosa pensate, Eminenza?»

«Che la Madonna non ti ha fatto nessuna grazia.»

«Non credete ai miracoli, Eminenza? Io sono guarito, lo vedete anche voi con i vostri occhi.»

«Il mio pensiero è un altro» e il Cardinale fece un mezzo sorriso che raggelò il Diacono «secondo me non sei mai stato malato di peste.»

«Ma che cosa dite, Eminenza?»

«Nessuno ha visto i segni della tua malattia. Come puoi dimostrare che sei stato infermo?»

Il Diacono Baldassarre rimase muto e confuso. Il Cardinale sospettava soltanto o ancora una volta aveva capito tutto e scoperto il suo imbroglio? A questo punto doveva decidere se continuare la finzione o confessare subito la verità e chiedere il perdono come già aveva fatto dopo il furto del cappello.

«Io so anche per quale ragione hai inscenato questa commedia.»

Il Diacono non fece commenti sperando che il Cardinale parlasse ancora e gli evitasse di dover decidere lì su due piedi quale atteggiamento tenere di fronte alle sue accuse. Ma il suo sguardo smarrito tradiva tutto lo sgomento che il silenzio non riusciva a nascondere.

«È inutile che continui a fingere, anche se la finzione era precisamente dedicata alla mia persona. Volevi dimostrarmi, con la grazia della Madonna, che ti eri liberato dal Demonio, ecco tutto. E adesso voglio lasciarti il tempo perché tu possa meditare su quello che ti ho detto e preparare le parole per la confessione. Se è vero che la notte porta consiglio, domani mattina verrai da me a confessare la tua frode e io saprò essere comprensivo. Ma se insisterai nella menzogna la punizione sarà tanto severa quanto malvagia e goffa è stata la tua finzione.»

Il povero Diacono si sentì mancare le forze. Con la testa avvolta nelle fiamme della vergogna si gettò in ginocchio davanti al Cardinale, gli prese la mano e la baciò ripetutamente.

«Vi chiedo perdono, Eminenza. Ho mentito. Merito la peggiore delle punizioni perché ho mentito coscientemente.»

Il Cardinale ritirò la mano e prese un altro sorso della sua tisana prima di rispondere.

«E io invece ti perdono perché non sei colpevole.»

Il Diacono sbarrò gli occhi guardando sorpreso il Cardinale che sorrideva minaccioso.

«Tu sei innocente, ragazzo mio, le tue finzioni blasfeme non sono opera tua ma del Maligno che ti possiede e che ti ha dato un suggerimento pessimo. Adesso che mi hai dato la dimostrazione certa che sei posseduto dal Demonio, puoi ritornare nella tua camera a raccogliere i tuoi pensieri.»

Mentre saliva le scale per raggiungere la sua cameretta, il Diacono Baldassarre cominciò a sentire strani calori sotto la pelle e delle vampate improvvise nelle viscere che salivano fino al petto. Uno a uno sentì quasi tutti i sintomi descritti dal dottore Codronchi: il battito vagante della carne, improvvisi formicolii sotto la pelle, un groviglio di rospi e serpenti nello stomaco e il respiro occluso da una mannella di stoppa. Sentiva il Demonio in ogni parte del corpo e a tratti gli parve addirittura che gli stesse aggrappato alla schiena come una scimmia e che gli soffiasse sul collo il suo fiato bollente. Nella sua camera il Diacono andò a sedersi sul letto.

La dimostrazione certa che sei posseduto dal Demonio, aveva detto il Cardinale. E che cosa è il Demonio se non una Entità assoluta del Male, pure nella variegata molteplicità delle sue manifestazioni? Che fosse proprio il Demonio, dopo avergli suggerito quella ignobile farsa, a offrirgli la soluzione dell'enigma latino registrato su quella vecchia pergamena rosicchiata? Ma certo, la dimostrazione dell'assoluto sta con evidenza nella esistenza del Demonio. Il Demonio esiste in quanto assoluto negativo opposto all'assoluto positivo che coincide con l'Essenza Divina. Per la verità, si disse, sono due Entità la cui esistenza è indimostrabile, ma della esistenza del Demonio stava diventando lui stesso la prova vivente e lampante. Di conseguenza non stava diventando per caso anche la prova della esistenza di Dio? Un improvviso capogiro gli impedì di proseguire con questi pensieri.

Aveva ragione il Cardinale. Da chi poteva venire il perfido suggerimento di fingersi appestato? Da chi altro se non dal Demonio? Il Diacono arrossì al pensiero di quelle scene vergognose e ridicole, e della umiliazione subita davanti al Cardinale che lo aveva smascherato. Si disse con sgomento che ormai avrebbe potuto riscattarsi soltanto con il sangue del Cardinale Ottoboni.

Seduto sul letto della sua cameretta, il Diacono Baldassarre chiuse gli occhi e cominciò a elencare gli uomini di svariata sorte che invidiava dall'abisso nel quale era precipitato: felici calzolai, felici giubbonari, beccai bettolieri spigolanti speziali maniscalchi stracciaroli vignaiuoli nani ortolani rigattieri zingari mulattieri istrioni sciancati barbieri fornai. E felice, al confronto suo, perfino la poveraglia che sostava davanti alla Casa del Cardinale per ottenere una scodella di zuppa e un pezzo di pane.

XIX

In quei giorni di peste e di malaffare, di discordia e di fame, l'ingresso esterno della cappella annessa alla Casa del Cardinale Ottoboni restava chiuso e sbarrato sempre, ma quando lo scaccino entrò di buona mattina dalla porta interna per fare le pulizie, trovò con sua grande meraviglia che un giovane sconosciuto stava seduto sui gradini dell'altare.

Il vecchio scaccino capì subito dallo sguardo bieco e dagli abiti sconciati che si trattava di persona pericolosa e di vita disonesta. Lo guardò sospettoso, ne osservò la camicia a brandelli e una mano coperta di sangue. Senza deporre il secchio e la scopa delle pulizie, gli si avvicinò.

«E tu come sei entrato che la porta è chiusa?»

L'uomo aprì le braccia con un gran gesto di provocazione.

«Non vedi? Sono un angelo volato giù dal cielo.»

«Dalla faccia non mi sembri un angelo, proprio no.»

«E allora che ti paio, un diavolo?»

«Se ti devo dire, mi pari un ceffo di malaffare. Da dove sei entrato?»

«Dal cielo, per la pace tua.»

L'uomo fece un cenno con la mano e indicò una finestra alta sul lato della cappella. Lo scaccino guardò in su.

«Hai sfondrato la finestra! Ma guarda che qui candelieri d'argento da rubare non ce ne stanno. Il Cardinale è un uomo previdente e non mette in mostra le sue sostanze» poi aggiunse prudentemente «che sono già poche.»

«Non sono un ladro ma ben di peggio.»

L'uomo non aveva tanto l'aria di scherzare e i suoi occhi avevano il colore e le fiamme della cattiveria.

Lo scaccino lo guardò angustiato.

«Che saresti? Un brigante che cerca in chiesa rifugio dalla legge? C'è qualcuno che ti corre dietro?»

«Bravo, hai indovinato.»

«E adesso che cosa pensi di fare?»

«Sono entrato qua e ci resto.»

«E ti sembra questa una locanda per malagente? Con tutti i poveretti affamati che ci sono per le strade, ti credi che possiamo ospitare i malfattori come te?»

«Sei tu il capoccia della Famiglia? Sei tu che decidi chi raccogliere nella Casa del Cardinale? Di solito gli scaccini tengono lontano dalla chiesa i cani e gli altri animali, ma io non sono un cane.»

«I cani li rispetto più dei malfattori che girano per le strade e ammazzano e depredano la gente. Io non so che cosa hai fatto, ma se ti sei buttato da quella finestra per metterti al riparo dai gendarmi si vede che hai un peso grande sull'animaccia tua.»

«Ho fatto secco un usuraio e così mi sono guadambiato il Paradiso. Lo vedi che già volo come un angelo?»

L'uomo mosse ancora le braccia facendo il gesto di volare.

«Però ti sei ferito a una mano. Per quel che mi risulta gli angeli non si feriscono e non perdono sangue.»

L'uomo si alzò dai gradini e si avviò con sicurezza verso la porticina laterale da dove era entrato lo scaccino.

«Dove sta il Cardinale?»

Lo scaccino corse sulla porta per impedirgli il passo.

«Mai più arriverai al Cardinale se prima non ti faccio parlare con il Maestro di Camera. È lui che decide chi può vedere il Cardinale e chi no.»

Arrivò a quel punto una voce imperativa dal fondo del corridoio.

«E chi mai sta discutendo a quest'ora da queste parti?»

Lo scaccino si voltò e si trovò faccia a faccia con il Cardinale Ottoboni che era sceso nella cappella attirato forse dalle voci di quei due.

Il Cardinale guardò l'uomo, gli si avvicinò e poi si rivolse allo scaccino.

«Come è entrato?»

Fu l'uomo a rispondere.

«Sono volato giù da quella finestra, Eminenza santissima.»

«Santissima proprio no» disse il Cardinale «non merito tanto.»

Intervenne lo scaccino con la voce in affanno.

«Eminenza, questo è un delinquente che è entrato per chiedere rifugio e sanità dalla legge. La porta sulla strada è sempre chiusa secondo i vostri ordini, ma lui è passato dalla finestra.»

Il Cardinale guardò la mano insanguinata dell'uomo, poi si rivolse allo scaccino.

«È ferito alla mano. Portalo in casa perché gli venga lavata la ferita. E poi dategli qualcosa da mangiare perché avrà fame.»

«Sono affamato, Eminenza, avete capito giusto. Ma quando avrò mangiato mi piacerebbe parlare con voi. Non vi farò perdere tempo, ma se mi concedete la parola non credo che avrete da pentirvi.»

«Io mi pento solo dei miei peccati e parlare con te non sarà certo un peccato.»

Poi il Cardinale si rivolse di nuovo allo scaccino.

«Portalo dal Maestro di Camera che penserà lui a tutto.»

Lo scaccino non poteva credere che quel delinquente avesse una così buona accoglienza nella Casa del Cardinale.

«Devo proprio farlo entrare?»

«Fai come ti ho detto.»

Lo scaccino fece strada all'uomo lungo il corridoio che dalla cappella portava nella Casa del Cardinale.

«Avessi fatto di mente mia, altro che da mangiare ti avrei dato. I tipi come te vanno trattati con le verghe di ferro come dice la Bibbia, e messi nelle galere. Diritto in galera ti avrei mandato, come tutti gli altri malfattori che scorrazzano per le strade di Roma di questi tempi.»

«Apposta sono entrato nella chiesa, perché qui siete obbligati a tenermi in salvo dai gendarmi e dagli altri malfattori come me. Come dice la Bibbia quando dice che bisogna proteggere i briganti.»

Lo scaccino fece uno sbuffo di impazienza e lo guidò verso l'ufficio del Maestro di Camera.

Rimasto solo, il Cardinale si apprestò a celebrare la messa quotidiana. La cappella era fresca e offriva un ristoro dalla opprimente calura dell'estate. Ogni mattina lo scaccino aveva l'ordine di aprire le finestre più basse, protette da grosse ferrate, per dare aria all'ambiente e per dissolvere l'umidità che filtrava dal pavimento. A seconda dell'umore del giorno la messa poteva durare di più o di meno, mai più di mezz'ora, ma in tutti i casi mai meno di dieci minuti, per non suscitare le ire del Signore Iddio, sempre così permaloso. L'arrivo di quel delinquente indusse il Cardinale Ottoboni ad accelerare quella mattina i ritmi del suo latino liquido e fluttuante.

L'uomo di malaffare venne per prima cosa introdotto dallo scaccino riluttante davanti al Maestro di Camera secondo le istruzioni del Cardinale. Disse di chiamarsi Severo e di non avere onore di casa e dignità di parentado, di essere inseguito da una banda di malfattori che gli avevano giurato vendetta per conto di un usuraio, ma non volle dire altro, né il Maestro di Camera volle ascoltare altre fandonie perché era evidente che mentiva. E perché indagare su faccende per le quali non aveva nessunissimo interesse? Si era trovato nella necessità di ospitarlo e questo era tutto.

Lo indirizzò alle donne della Casa che gli lavarono la ferita con l'aceto e poi lo fasciarono con una garza pulita. Gli tolsero la camicia insanguinata e gli diedero un farsetto preso dal guardaroba dei servitori. Lo introdussero alla fine in una stanzetta della servitù e qui lo rifocillarono con pane, formaggio e frutta e gli diedero una brocca di vino. Dopo di che l'uomo si stese sul pagliericcio e si precipitò in un sonno profondo.

Quando il Cardinale lo mandò a chiamare per un colloquio, Severo dormiva ancora. Dovettero scuoterlo forte per distoglierlo dal sonno. L'uomo si sciacquò la faccia in un catino d'acqua fredda e poi si lasciò condurre in presenza del Cardinale Ottoboni.

Appena arrivato nello studio del porporato l'uomo si guardò attorno con meraviglia.

«Avete una bella casa, Eminenza. Una casa come questa io non l'ho vista mai.»

«Pensavo che avessi fatto visita, magari di notte, ad altre case anche più ricche di questa.»

«Non sono un ladro, Eminenza, io sono un assassino.»

Il Cardinale lo guardò senza scomporsi.

«E lo dici così?»

«Io ammazzo per commissione, è il mio mestiere. Al Maestro di Camera ho raccontato delle balle, ma a voi non voglio nascondere la verità.»

«E perché mai?»

«Perché sono sicuro che voi avete esperienza del mondo e mi potete capire.»

«Posso ben capire, ma non potrò in nessun modo perdonarti, se è questo che speri. Le ragioni sono evidenti già dall'abito che indosso.»

«Non volevo farmi perdonare i peccati, che sono troppi, ma dirvi che la vostra ospitalità mi ha salvato da una brutta rogna. Io ho lavorato per un capoccione pari vostro e so che voialtri Cardinali capite come corrono le cose del mondo e come si vive e si crepa a Roma.»

Il Cardinale era stupito da così franco parlare, ma non capiva perché ne fosse proprio lui il destinatario.

«Tu mi dici che hai lavorato per un capoccione mio pari. Se ho capito bene hai lavorato per un Cardinale, o mi sbaglio?»

«Avete capito giusto, Eminenza.»

«Sono molto incuriosito, lo confesso.»

«Lo so, ma io non vi dirò mai chi è, anche se me lo chiedete in ginocchio. Nel mio mestiere se uno ha la lingua lunga è finito, è morto. Io so tenere un segreto anche sotto tortura.»

«Non ho nessuna intenzione di farti torturare, né mi interessa sapere se è vero quello che dici e finalmente, nel caso che sia vero, è meglio che io non sappia per chi hai lavorato. Majora premunt.»

«Anche se non so il latino, questo mi sembra un modo di ragionare pulito. Io credo che noi due andremo d'accordo.»

Ancora una volta il Cardinale rimase sorpreso, ma seppe tirar fuori un sorriso discreto per scivolare su tanta sfrontata confidenza.

«Vedo che non manchi di franchezza.»

«Sono un tipo schietto e fedele fino alla morte.»

«Perché fino alla morte? Che c'entra la morte?»

«Si muore tutti i giorni, Eminenza.»

«Si muore tutti i giorni, è vero. Ma hai anche detto che sei fedele. Fedele a chi?»

«Quando prometto fedeltà vale per ogni verso e occasione. Adesso per esempio voi mi avete salvato la vita, mi avete dato da mangiare e curato mentre il vostro scaccino mi avrebbe buttato ai cani. Per fortuna aveva paura, altrimenti non so che cosa mi avrebbe fatto patire. Voi invece mi avete trattato come un cristiano, e allora io vi sono fedele.»

Il Cardinale non riusciva a capire che cosa intendesse quel delinquente impunito con le sue dichiarazioni di fedeltà.

«Che cosa significa per te essere fedele a qualcuno?»

Severo si concentrò per qualche minuto nello sforzo di trovare le parole adatte a esprimere il suo pensiero, poi guardò in faccia il Cardinale come se fosse arrivato il momento delle difficili verità.

«Voi avrete dei nemici.»

Adesso toccava al Cardinale pensarci prima di rispondere. Non sapeva nemmeno lui la ragione, ma quel tipo gli ispirava una strana fiducia: qualche volta, si disse, i lestofanti si fanno un vanto di comportarsi secondo certi loro codici d'onore. Decise quindi che non gli conveniva respingere subito quella offerta di fedeltà.

«Tutti abbiamo dei nemici. Siamo uomini e di conseguenza siamo soggetti ai vizi e alle debolezze degli uomini.»

«Io sono abituato a parlare chiaro. Se avete dei nemici e voi mi dite una parola, io vado e gli stacco l'anima dal corpo. Dovete soltanto dirmi il nome e io parto. L'ho fatto tante volte a pagamento ma per voi lo faccio così, soltanto per fedeltà e senza pretendere nemmeno un ducato.»

Il Cardinale restò allibito.

«Mi stai proponendo di commettere degli omicidi. Questo intendi per fedeltà?»

«Ho sentito che parlate di omicidi e allora vuol dire che di nemici ne avete più d'uno.»

«Non so se ti rendi conto che stai parlando con un ministro della Chiesa.»

«Siete un Cardinale. Vi ho detto che non è la prima volta che lavoro per incarico di un Cardinale.»

Il dialogo stava diventando imbarazzante. Per quanto spregiudicato fosse, il Cardinale Ottoboni non sapeva più per quale verso prendere quello strano manigoldo.

«Mi stai dicendo delle cose stupefacenti alle quali non so se devo credere.»

«Eminenza, quello che ho detto lo giuro su tutti i Santi del Purgatorio.»

Il Cardinale non riuscì a trattenere un sorriso.

«Io credevo che i Santi avessero diritto a un seggio in Paradiso.»

«Mica tutti, Eminenza. Ci sono Santi che ne hanno fatte di tutti i colori prima di montare sugli altari. Ci sono anche dei Santi dell'ultima ora che sulla terra facevano i delinquenti come me e poi si sono pentiti. Secondo voi quelli vanno in Paradiso gratis? Io dico che stanno qualche annetto in Purgatorio a fare penitenza prima di salire al piano di sopra. Ogni tanto mi metto lì e penso all'anima e alla vita eterna anch'io, come tutti i cristiani di questo mondo. Chi vi dice che un giorno mi gira la luna per quel verso e divento Santo e finisco sugli altari?»

«Giusto. Non bisogna mai porre dei limiti alle

proprie ambizioni. Intanto hai già cominciato a volare giù dalle finestre.»

Il Cardinale si alzò per congedare Severo, ma prima che uscisse volle dimostrargli ancora la sua premura.

«Ti hanno trovato una camera nella mia Casa?»

«Mi piace stare qui con voi sotto la vostra protezione e anche se mi cacciano nelle cantine sono contento lo stesso. E ricordatevi che io metto al vostro servizio le mie mani, il mio pugnale e le mie palle. Di questi tempi possono esservi utili. Altrimenti mi tolgo dai piedi, se voi me lo ordinate.»

Il Cardinale fece un gesto di saluto e sorrise benevolmente a quella canaglia evitando di pronunciarsi sul futuro dei loro rapporti. Era stranamente soddisfatto di quell'incontro che sanciva la fantasia inesauribile del Caso. Ma poi andò a lamentarsi con il Maestro di Camera perché, così come era entrato quel brigante, poteva entrare una intera banda di ladri e saccheggiare la Casa. Che si provvedesse subito a rinforzare anche le finestre alte della cappella con sbarre di ferro perché i malviventi, come gli aveva spiegato Severo, sono in grado di volare.

XX

L'arrivo di Severo e soprattutto le sue profferte inaspettate avevano turbato la ecclesiastica compostezza che il Cardinale Valerio Ottoboni si imponeva nei suoi rapporti con il mondo. Quell'arrivo e quelle profferte le aveva prese come un segno del Cielo e pensò, in quella occasione, che il destino non si può eludere impunemente. Decise pertanto di deporre ogni cautela e di riprendere il dialogo con quell'ospite incongruo.

Per nulla intimidito, Severo si presentò nello studio del Cardinale, si guardò attorno come se fosse la prima volta che entrava in quella stanza piena di tendaggi e di affreschi, fece un rapido inchino al porporato, poi si avvicinò a una sedia, ma si trattenne subito e guardò il Cardinale per avere un gesto di consenso.

«Siediti pure.»

Severo si sedette, poi fissò lo sguardo su un grande affresco che raffigurava una donna nuda e due vecchi uomini barbuti che la guardavano nascosti dietro un cespuglio. Il Cardinale si accorse della sua attenzione.

«Susanna e i vecchioni.»

«Una mignotta?»

«No, non è una mignotta.»

«Ma è tutta nuda e sembra che mi sta a guardare con gli occhi.»

Il Cardinale sorrise.

«Guarda verso la tua sedia. Se mi siedo io al tuo posto guarderà il Cardinale Ottoboni.»

Severo non pareva convinto.

«Non sarà una mignotta, se lo dite voi.»

«Susanna è un personaggio della Bibbia. Era una donna onesta, moglie di un uomo onesto con il quale viveva a Babilonia. Quelli sono due vecchi giudici che si sono appostati nel giardino per spiarla mentre prende il bagno nuda, e poi vanno a proporle di giacere con loro.»

«Con tutti e due?»

«Sì, con tutti e due. Ma Susanna si rifiuta ai loro desideri e allora questi minacciano di denunciarla per adulterio. Se non si concedeva a loro avrebbero raccontato che l'avevano vista tradire il marito con un giovane giardiniere. Susanna, pur sapendo che l'adulterio veniva punito con la morte, non subì il ricatto.»

«E l'avrebbero condannata a morte per una scopata?»

«Così era la legge di Babilonia. Ma un ragazzo di nome Daniele riuscì a smascherare i due vecchioni e a dimostrare che avevano mentito. Susanna venne assolta e i due vecchi condannati a morte.»

«Scusate, Eminenza, ma quel Daniele se l'era scopata? Se no la storia non mi squadra.»

«Quella di Daniele era una testimonianza disinteressata che aveva l'unico scopo di salvare una donna innocente.»

«Se lo dite voi.»

«Lo dice la Bibbia.»

«E i due vecchi vengono ammazzati per così poco?»

«La maldicenza veniva punita con molta severità a quei tempi.»

«A dare ascolto alla Bibbia oggi a Roma chi si salva? Si salvano giusto le zucche negli orti.»

«Da noi la legge è meno severa, per fortuna nostra.»

Il Cardinale passò poi con leggerezza ad altre parole.

«Che cosa ti hanno fatto mangiare giù nelle cucine?»

«Due uovi e un fegato fritto, buone cose. Ero così stracco che non mi stavo sulle gambe.»

«E adesso?»

«Adesso sono forte come un animale.»

Severo si guardò intorno ammirando ancora una volta il lusso di quel salone, alzò gli occhi al soffitto a cassettoni dorati, poi fissò gli occhi in faccia al Cardinale.

«Non mi avrete chiamato per raccontarmi la storia di Susanna?»

Il Cardinale sorrise benevolmente.

«Mi hai fatto una domanda su quella donna nuda e io ti ho risposto.»

«E adesso?»

«Ti dirò subito che durante il nostro primo colloquio hai detto qualcosa che mi interessa di sapere. Dunque hai affermato di avere agito per incarico di un Cardinale.»

«Non ci credete?»

«Dalle tue parole e dalla tua sicurezza devo pensare che non hai mentito.»

«È la sacratissima verità, Eminenza.»

«Saresti dunque disposto a dirmi il nome del Cardinale che ti ha dato quell'incarico?»

Severo si irrigidì.

«Questo non me lo dovete chiedere. Mi avete detto che non vi interessa sapere il nome di quel tale. Cardinale lui Cardinale voi, perché non vi state in pace?»

«Invece no. Per ragioni che non sto a spiegarti ma che riguardano il mio ministero e la mia sicurezza, ora devo chiederti di dirmi quel nome. Naturalmente puoi contare sulla mia assoluta segretezza.»

Severo fu molto sorpreso dalla richiesta del Cardinale, ma rispose con baldante sicurezza.

«Mi dispiace per voi ma quel nome non ve lo dirò mai.»

Il Cardinale volse lo sguardo al soffitto come se volesse chiedere ispirazione ai cassettoni dorati.

«Non hai fiducia nella mia parola?»

«Io non mi fido di nessuno.»

«Ti ho promesso la mia segretezza, è una promessa garantita dall'abito che indosso e da questa Croce che porto al collo.»

«La Croce sullo stomaco non mi dice niente. Voi potete fare tutte le promesse di questo mondo, ma perdete il vostro tempo. Per me un segreto è un segreto, e non apro bocca nemmeno se ci mettete di mezzo Cristo Re, il Papa e tutti i Santi del calendario.»

Il Cardinale aveva già capito che Severo era più ostinato di quanto immaginasse.

«Ti ho accolto nella mia Casa, ti ho fatto curare e ti ho offerto la mia ospitalità. È così che dimostri la tua gratitudine?»

«Posso dirvi tante grazie, se ci tenete ai ringraziamenti di un malandrino di tosta figura come sono io.»

«Vedo che sei molto deciso, ma lo sono anch'io.»

«Non mi fate incazzire, Eminenza. Scusatemi tanto ma io non posso dirvi quel nome perché ho promesso di non dirlo.»

«Hai fatto un giuramento?»

«Ho fatto una promessa. Per me è peggio di un giuramento.»

«E io ti prometto che non dirò quel nome a nessuno. La mia promessa non vale come la tua?»

«Volete proprio farmi biastumare, Eminenza.»

Il Cardinale Ottoboni parlò con voce sommessa e un tono confidenziale che voleva forse attenuare il senso minaccioso delle sue parole.

«Lo sai che ci sono metodi infallibili per far parlare i colpevoli e qualche volta anche gli innocenti. Sono metodi usati da tutti i governanti di questo mondo e anche dalla Chiesa, quando se ne è presentata la necessità. Devi sapere che fra i miei uomini di guardia ci sono due gendarmi che hanno lavorato per la Santa Inquisizione.»

Severo guardò il Cardinale con aria di sfida.

«Potete ammazzarmi ma io non scucio una parola. E della Santa Inquisizione io me ne sbatto, con vostra licenza.»

Il Cardinale volse lo sguardo al soffitto senza fare altri commenti.

Tenuto per le braccia da due robusti gendarmi, Severo venne condotto in fondo a un androne del piano terreno e introdotto al lume di una candela in uno stanzino senza finestre. Una panchetta appoggiata al muro, un catino di rame ammaccato buttato in un angolo, la porta armata da pesanti ferrate, e ragnatele dappertutto. Una prigione o un luogo di punizione ormai in disuso ma forse utilizzato in altri tempi come magazzino o per rinchiudervi i servi riottosi, e conservato dal Cardinale Ottoboni così come l'aveva trovato quando aveva acquistato il palazzo.

«Mi chiudete in galera?»

«No no, ti facciamo compagnia» disse uno dei due uomini, un tipo tracagno e peloso che pareva, lui sì, uscito da una galera.

«Ci hanno spiegato che hai delle cose da raccontarci» disse il secondo.

«Che cosa volete che vi racconto? Storiette da ridere non ne so. O volete storie da piagnere?»

«Non ci servono storiette né da ridere né da piagnere. Ci basta il nome di un certo tale che ti dobbiamo cavare dalla bocca.»

«Non l'ho detto nemmanco al Cardinale.»

«Con noi cambia la musica. Noi ti faremo cantare come un merlo.»

I due uomini presero dalla panchetta un grosso canapo ritorto, lo fecero passare in due anelli appesi al soffitto e poi legarono Severo, che si agitava inutilmente. Lo tirarono su per i polsi e le caviglie, appeso come un maiale. Poi gli levarono le scarpe.

«Non mi vorrete mica macellare?»

«Questi ganci servivano proprio per macellare i maiali. Si spaccavano in due con la scure e poi si facevano i presciutti, le pancette, i pezzi di lardo. Ci dispiace che sei un po' scarnito. Pancetta niente, presciutti magri come la carestia, lardo manco per condire una zuppa.»

Il più grifagno dei due, con quella faccia nera e gli

occhi che foravano il buio, gli avvicinò la candela alla pianta di un piede tanto da scottarlo un po'.

«Vuoi sputare quel nome?»

«No.»

L'uomo gli avvicinò ancora la candela. Severo strinse i denti per non urlare.

«Oh cazzo, mi vuoi arrostire?»

«Ho appena incominciato.»

«Tanto quel nome non lo dico. Non mi fate biastumare per niente.»

«Potresti raccontarci una storietta da ridere, tanto per farci compagnia.»

«Ma va' all'inferno, bestia che sei!»

«Bestia a me?»

L'uomo lo guardò con lo spirito di collera nelle narici, poi si avvicinò e gli tenne la candela sotto il piede fino a fargli sfrigolare la pelle.

«Questo è niente» disse a Severo che si dimenava sulla corda e stringeva i denti per non gridare.

«Va bene, parlo.»

«Non devi parlare mica tanto. Basta quel nome.»

«Carpinetto, il Cardinale Carpinetto.»

«Così va bene. Mi credevo che eri un osso più duro da come ti rappresentavi.»

L'uomo nero fece un cenno al secondo che si allontanò a passo svelto e si avviò su per le scale.

L'uomo salì al piano nobile, bussò alla porta del Cardinale Ottoboni ed entrò nello studio appena sentì la sua voce dall'interno.

«Eminenza, ha confessato.»

«Ha detto il nome?»

«Carpinetto, il Cardinale Carpinetto.»

Ottoboni rimase in silenzio solo per un istante.

«Non esiste nessun Cardinale con questo nome da boscaiolo. Quello vi sta a prendere per il naso.»

L'uomo bestemmiò fra i denti e, a un gesto del Cardinale, fece un inchino e filò via veloce.

«È una turcheria bella e sputata!» disse di ritorno nello stanzino. «Non ci sta nessun Cardinale Carpinetto.»

«Adesso te la facciamo passare noi la voglia di coglionare la gente, faccia di mela secca» disse l'altro.

L'uomo nero avvicinò la candela a un calcagno di Severo e la tenne ferma in modo che la fiamma mordesse la carne viva.

Severo si dimenò a scatti strattonando la corda, ma il secondo gli teneva forte la caviglia così che il calcagno si trovasse sopra la fiamma della candela.

«Mi potete arrostire a crudo ma non mi caverete una parola dalla bocca.»

Severo parlò a denti stretti, poi fece un urlo trattenuto in gola per il dolore atroce della fiamma.

L'uomo ritrasse la candela in tempo per non fargli un buco nel piede. Faceva un bel lavoro da esperto, sapeva manovrare nei giusti modi quello strumento di tortura.

Severo ebbe il tempo di tirare il fiato.

«Ma che cosa ci stanno a fare due sgherri contraffatti come voi nella Casa di un Cardinale?»

«Lo vedi no?»

«Perché non fate un bel fuoco e mi fate arrosto tutto intero?»

«Carne di porco ti facciamo, se non ti cavi dalla bocca quel nome.»

«Dico e ripeto per cognizione vostra che ho la bocca masnadiera, cucita a filo doppio.»

L'uomo rimise la candela sotto il piede. Severo di nuovo si agitò con tutto il corpo stirando la corda, ma il piede tenuto dall'altro rimase sempre sopra la fiamma.

«Non vi azzardate a transitare per le strade d'ora in avanti perché se vi rincontro sarà un brutto affare per voi.»

«Vuoi parlare, sì?»

L'uomo ritrasse la candela ancora per un momento.

«Tempo buttato via, già ve l'ho detto.»

I due si guardarono sbiechi, come d'intesa, poi lasciarono Severo lì appeso e uscirono a parlottare fra loro. Dopo poco rientrarono nello stanzino per fare un ultimo tentativo.

«Adesso se non parli ti bruciamo le palle.»

«Ve l'ho già detto, mi potete pure ammazzare ma io non mi pronuncio.»

I due si diedero ancora un'occhiata, poi cominciarono in silenzio a slegare i nodi della corda fintanto che Severo si tirò di nuovo in piedi.

«Le mie scarpe.»

Gli dettero le scarpe che Severo si infilò con dolore, poi lo accompagnarono zoppicante al piano nobile. Trovarono la porta aperta e il Cardinale che aspettava. I due uomini fecero un inchino senza entrare mentre il Cardinale faceva cenno a Severo di avvicinarsi.

«Richiudi la porta.»

Severo richiuse la porta e si avvicinò zoppicando

al tavolo dove il Cardinale lo aspettava con un sorriso ben strano in quella occasione.

«Dunque non hai voluto dire quel nome.»

Severo guardò il Cardinale senza rispondere.

«Non ti ho chiamato per rimproverarti, ma per farti i miei complimenti.»

Ancora Severo restò in silenzio senza capire.

«Ti ho voluto mettere alla prova. Ora so che posso fidarmi di te.»

Severo guardò il Cardinale con meraviglia.

«Così mi avete fatto bruciare i calcagni per questa gran bella soddisfazione. Avete visto come cammino tutto sbiecato? Mi hanno bruciato tutti e due i piedi quella vostra malagente.»

«I piedi guariranno presto, ti farò curare. Ma sarai giustamente ricompensato per questa tua onestà.»

«Ma che onestà, Eminenza, io sono un delinquente.»

«Un delinquente, ma fedele a chi gli dà del lavoro. Questa tua fedeltà ti riscatta da molte colpe. Sono pochi quelli che sanno tenere un segreto come te. Adesso vai di sotto a farti curare le scottature dalle donne della Casa.»

Il Cardinale indicò la porta a Severo che si allontanò zoppicando.

Sesto quadro

Sotto un sole che infuocava le pietre e le teste dei cristiani, accecati dalla polvere sollevata da ventate improvvise, i Cardinali e i Conservatori del Campidoglio venuti al porto di Ostia per accogliere Adriano, si disposero alla lunga marcia sulla strada per Roma. Nessuno fra i Cardinali si azzardò a montare sulle carrozze con le quali erano venuti, per riguardo al nuovo Pontefice partito a cavalcioni di una mula bianca, affiancato dall'Ambasciatore imperiale Manuel che cavalcava un'altra mula di cui la Storia non ci ha tramandato il colore. Solo i due Conservatori anziani salirono sulle loro carrozze perché si ritenevano giustificati dall'età e dalla loro qualifica di rappresentanti del potere laico.

I Cardinali e i prelati del seguito si misero dunque in cammino a piedi, già stanchi alla partenza e accaldati sotto i pesanti abiti da cerimonia. Con una mano tenevano sollevate le lunghe vesti di porpora e con l'altra si calcavano sulla testa i larghi cappelli per evitare che li portassero via le ventate del Libeccio. Di tanto in tanto sia i Cardinali che i prelati del seguito si scoprivano il capo per farsi aria al viso e per scacciare le mosche e i moscerini che arrivavano a nugoli dal vicino Tevere.

Adriano cavalcava in testa al piccolo corteo e ragionava animatamente con l'Ambasciatore Manuel che procedeva al suo fianco. Un parlare fitto fitto, per di più in tedesco, impediva ai Cardinali più vicini, per quanto cercassero di aguzzare le orecchie, di percepire gli argomenti di quel dialogo che sicuramente riguardava i progetti punitivi del nuovo Papa. Dopo le voci sulla sua cattiva salute, Adriano, che durante il viaggio si diceva avesse rischiato di rendere l'anima a Dio, ora si mostrava animato da una vigoria inaspettata.

I Cardinali e i prelati della Curia Romana, tutti appiedati, non riuscivano a tener dietro al Papa che avanzava spedito sulla sua mula bianca, e i più stanchi vennero poco alla volta distanziati, tanto che si trovarono ben presto vicini alle rispettive lussuose carrozze stemmate che procedevano vuote per ossequio alla ostentata umiltà papale. Finalmente i Cardinali più anziani, e fra essi il Campegio e il Colonna, decisero di proseguire il viaggio in carrozza, sicuri che il Papa, tutto impegnato nel suo dialogo con Manuel, non si sarebbe accorto di nulla. Gli altri eminenti Piedi Polverosi continuarono a soffrire per la calura, per le mosche e per la polvere che si impastava sulle loro facce sudate. Arrivati davanti a un fontanile, i componenti del seguito si fermarono per bere qualche sorso di acqua fresca alla cannella e per rinfrescarsi le facce impolverate.

Ai lati della strada gli oleandri erano tutti bianchi di polvere per il via vai di carri e carrette che c'era stato in quei giorni da Roma a Ostia per il passaggio degli operai mandati a lavare le banchine del porto impuzzonite di pesce fradicio e a decorare il molo con festoni colorati. Tutta la Curia Romana era in ansia per gli umori del Papa fiammingo e si temeva che venissero molestate le sue narici dai cattivi odori e che i suoi occhi avessero a posarsi su qualche sconceria terrestre.

La Prefettura delle Strade e quella delle Ripe avevano tentato di fare innaffiare la strada da Ostia a Roma, ma l'impresa si era subito rivelata impossibile per la difficoltà di riempire le botti con l'acqua del Tevere e soprattutto perché il gran sole asciugava subito i tratti innaffiati. Così ogni passo delle due mule che aprivano il corteo sollevava nuova polvere, che le ventate portavano negli occhi dei Cardinali appiedati.

Alla altezza della Chiesuola venne incontro al corteo una lettiga papale portata a svelto passo da quattro guardie svizzere e seguita da altre sei guardie a piedi, tutte imbiancate anche loro dalla polvere che nascondeva i colori delle belle divise disegnate da Michelangelo.

Dapprima Adriano disse che preferiva procedere sulla sua mula, ma poi si lasciò convincere, soprattutto a causa delle mosche che non gli davano pace. Salì sulla lettiga insieme a Manuel lasciando le due mule a disposizione dei due più anziani fra i Cardinali del seguito, che peraltro avevano già preso posto sulle loro carrozze.

Dentro la lettiga la Dispenseria Vaticana aveva disposto in una apposita cassetta due fiaschette di sidro fresco di cui Adriano, così parco in tutto, pare fosse particolarmente ghiotto, e un cestino di frutta, uva fichi e pesche. Quando il corteo arrivò all'altezza della Magliana, dal basso della lettiga papale filtrò uno sgocciolìo che lasciò una traccia ben visibile sulla polvere della strada. I componenti del corteo si domandarono se il Papa avesse rovesciato il sidro, e questo sarebbe stato un brutto segnale dei suoi tetri umori, oppure se lo sgocciolìo fosse invece dovuto a ragioni corporali. Il mistero restò tale perché nessuno osò in seguito fare domande a Manuel e tanto meno al Papa.

Poco prima di arrivare alla Basilica di San Paolo fuori le Mura, Adriano fece fermare la lettiga e volle montare di nuovo sulla sua mula, seguito a malincuore da Manuel. Ma ormai la meta era vicina e finalmente, prima del buio, il Papa e il suo seguito approdarono a San Paolo.

Il Cardinale Colonna tentò di convincere Adriano a farsi incoronare nella stessa Basilica perché San Pietro era tutto un cantiere di lavori in corso, ma soprattutto per evitare un assembramento di folla nella città dove la peste mieteva vittime ogni giorno e disgraziatamente si era già diffusa anche fra il clero. Il Fiammingo dispose invece che la mattina seguente avrebbe ricevuto tutti i Cardinali nel Chiostro per il bacio del piede, ma che l'incoronazione si sarebbe poi celebrata in San Pietro secondo la tradizione.

XXI

Tutti i componenti del Sacro Collegio Cardinalizio ricevettero, per mezzo di un messaggero pontificio, la convocazione per la domenica di prima mattina nella Basilica di San Paolo fuori le Mura per dare il benvenuto al nuovo Pontefice e per assistere alla sua allocuzione dopo la cerimonia del bacio del piede. Ma si era mormorato che Adriano volesse modificare il cerimoniale, ancora prima di venire incoronato in San Pietro, per abolire il bacio del piede, o meglio della pantofola, che riteneva umiliante per i Cardinali, e sostituirlo con il semplice bacio dell'anello.

Certamente il nuovo Pontefice, per quanto se ne sapeva, non avrebbe mai preso gli atteggiamenti provocatori di Leone X che una volta, di ritorno da una battuta di caccia, aveva radunato i Cardinali e si era assiso sul Sacro Soglio con gli stivali. Baciare gli stivali impolverati come si baciava la pantofola intessuta d'oro? Leone X si divertiva alle spalle dei porporati e, dopo averli umiliati con il bacio dello stivale, pare che in un'altra occasione si fosse tolta una pantofola e l'avesse fatta circolare fra i Cardinali perché potessero eseguire la cerimonia del bacio senza scomodarsi. L'attitudine del nuovo Papa, già dalle prime notizie portate dai suoi messaggeri, appariva di tutt'altra natura, sempre formale e senza mai una sfumatura di giocondità o di ironia.

Il problema della pantofola e dell'anello era oggetto di chiacchiere senza risentimento. Ben altre cose impensierivano i Cardinali. Si diceva che il nuovo Pontefice durante il viaggio verso Roma avesse pronunciato una frase assai preoccupante: "La Curia di Roma è piena di pulci e di pidocchi". Affermazioni come questa avevano gettato il panico fra gli alti prelati residenti a Roma, i quali ben sapevano che le pulci e i pidocchi si schiacciano senza pietà. Ma chi erano le pulci? E chi erano i pidocchi? Alludeva il Papa a particolari categorie, oppure si trattava di una affermazione generica sul parassitismo romano? Non voleva forse intendere la folla di poeti e poetastri che il defunto Leone X aveva attirato a Roma da ogni parte d'Italia? O addirittura si riferiva ai preziosi architetti e pittori che lavoravano nei Palazzi Vaticani e nelle chiese di Roma? Su queste ipotesi si erano provvisoriamente acquietati gli animi degli alti prelati che si sentivano singolarmente intangibili in quanto depositari del decoro della gloriosa Corte Pontificia.

Ma le vere inquietudini erano volte a più sostanziosi problemi. Si domandavano infatti i Cardinali, e se lo domandava con apprensione anche il Cardinale Ottoboni, se veramente il Papa fiammingo avesse intenzione di abolire i benefizi "fuori sede", che negli anni passati avevano impinguato in varia misura il Piatto Cardinalizio dei membri più intraprendenti del Sacro Collegio. Certamente non avrebbe abolito la carica contesa di Camerlengo, una delle più nobili e antiche. Il rischio era piuttosto che aumentassero i concorrenti con l'arrivo dei connazionali del Papa.

Per il Cardinale della Torre il vero pericolo era rappresentato dall'Ottoboni, che continuava le sue manovre mondane e conviviali. Il che faceva pensare, essendo personaggio non solito a sprecare le energie, che la carica di Camerlengo fosse, oltre che nobile e antica, una miniera d'oro per chi non si accontentasse degli emolumenti ufficiali e ponesse attenzione alle regalie che era facile procacciarsi da quella poltrona. Meglio dunque non indugiare.

Il Cardinale della Torre mandò a chiamare per un colloquio riservato il Diacono Baldassarre.

«Tu sai» esordì saltando i preamboli «che domenica ventura tutti i componenti del Sacro Collegio sono stati convocati nella Basilica di San Paolo per la cerimonia di saluto del nuovo Pontefice.»

Il Diacono chinò il capo a conferma dell'informazione.

«Tutti i Cardinali dovranno presentarsi nella Basilica alla prima luce dell'alba. Questo significa che dovremo salire in carrozza con il buio, calcolando che da qui a San Paolo ci corre almeno un'ora di viaggio e che altro tempo ci vorrà nella Basilica per i preparativi della cerimonia.»

Il Diacono fingeva di non capire il senso di quelle parole in salita.

«Una levataccia, Eminenza.»

«Leone X non ha mai messo alla prova la nostra solerzia mattutina. Sapeva che anche i Cardinali sono uomini, spesso in cattiva salute e quasi sempre di età avanzata.»

«È stata una vera sciagura la scomparsa di Papa Leone.»

«Forse la sciagura peggiore è stata l'elezione di Adriano di Utrecht, ma non posso lamentarmene perché anch'io ne sono responsabile per la mia parte.»

«Il Diavolo non è mai brutto come si dipinge.»

Il Diacono si accorse dello sproposito.

«Chiedo scusa, volevo dire che forse il nuovo Pontefice sarà meno peggio di quel che si dice. Del resto si sanno ancora poche cose sul conto suo.»

«Quanto basta per essere preoccupati. I primi messaggi fanno pensare al peggio, soprattutto per la sua caparbia insofferenza burocratica. Con quali criteri si procederà alla riforma degli Uffici? Vedremo le principali Istituzioni occupate da preti fiamminghi? E chi approfitterà del nuovo scompiglio? Per esempio la carica di Camerlengo, alla quale potrei concorrere con buone probabilità di successo per titoli e per anzianità di esercizio se non interviene il nuovo Pontefice portando avanti i suoi connazionali, probabilmente mi verrà sottratta da un porporato che in questi mesi ha fatto l'imbonitore di se stesso accaparrandosi le amicizie e i favori di molti membri della Curia Romana con pranzi sontuosi e lusinghe di ogni specie. E questo malandrino si è addirittura fatto tagliare la barba dopo avere convinto gli altri Cardinali a conservarla, per mostrarsi lui solo in bella luce al nuovo Papa che ci vuole imporre questo inutile sacrificio.»

Il Diacono restò muto ad ascoltare il seguito.

«Dovrei subire passivamente gli intrighi e le piaggerie del Cardinale Ottoboni?»

Il Diacono assunse una espressione pensosa per avere l'opportunità di tacere. Ma il Cardinale non accettò il suo calcolato silenzio.

«Che cosa mi rispondi? E che cosa mi suggerisci?»

«Non avete certo bisogno dei miei suggerimenti, Eminenza.»

«Allora esprimi una tua opinione personale.»

«Non credo che la carica di Camerlengo possa avere molta importanza per un uomo come voi.»

«Ti sbagli» lo incalzò il Cardinale «ne ha moltissima. Per il mio orgoglio, per la mia Famiglia, per la maggiore autorità che ne verrebbe alla mia persona.»

«Perdonatemi, Eminenza, ma c'è il rischio che quella carica finisca per nascondere la vostra vera autorità, quella che deriva direttamente dalla vostra persona e non dall'abito che portate o dai titoli che vi vengono attribuiti.»

«Non hai capito che è proprio l'abito che mi conferisce autorità? Lo sai pure che si dice anche porporato, perché la porpora fa ormai parte della nostra persona. A Bisanzio la porpora potevano portarla soltanto gli Imperatori, proibita a chiunque altro. Si dice che l'abito non fa il monaco e invece io sostengo che l'abito non solo fa il monaco, ma fa addirittura il Cardinale. Esagero, si capisce, ma in fondo tutta la liturgia non è altro che un sistema di formalità in cui le apparenze definiscono la sostanza.»

«Non riesco a seguirvi, Eminenza. La porpora ve la siete guadagnata con i vostri meriti, è un titolo di onore che deriva dalla vostra persona, non viceversa.»

«La tua ingenuità mi commuove. La porpora l'ho comprata con ducati sonanti perché conoscevo il suo valore. La porpora è un titolo di onore e di merito personale, certamente, ma vale più di una spada come forza di persuasione e di potere, e la carica di Camerlengo mi metterebbe addirittura a capo di un esercito, come è di fatto la Reverendissima Camera Apostolica. Il Cardinale Ottoboni dopo l'ingiunzione del Papa ha voluto apparire senza barba lui solo perché sa quanto contano le apparenze. Ho deciso che me la farò tagliare anch'io, pure essendo un grave sacrificio, così mi presenterò al nuovo Pontefice con la faccia nuda usufruendo della stessa malizia architettata dal mio antagonista.»

Coraggiosamente il Diacono si dibatteva dentro i lacci nei quali il Cardinale lo stava stringendo.

«Avendo a vostra disposizione la spada della porpora, non dovreste sentire la necessità di ricorrere ad altri mezzi.»

«Quando la porpora si scontra con un'altra porpora che cosa mi resta se non ricorrere ai mezzi estremi? Dimmi sinceramente qual è il tuo pensiero, ponendo mente che proprio tu hai voluto l'intervento della strega Zenaide.»

Il Diacono volle replicare con una affermazione di principio.

«Io sono contrario alla violenza, sempre. Così mi è stato insegnato da quando ho indossato questo abito.»

«Lo sai che il Sacramento della Cresima ti ha fatto soldato di Dio? Vuoi rifiutare la spada o il pugnale che Dio ha messo nelle tue mani?»

«Quella del soldato è una metafora, Eminenza. In concreto lo sapete anche voi che non ho nessuna attitudine militare.»

«Non ti chiedo di andare in guerra contro i miei nemici. Ma dovresti essere tu a offrirmi il tuo aiuto per risolvere le mie difficoltà.»

«Purtroppo io sono un uomo debole e, devo proprio confessarlo, del tutto inetto vile timido e maldestro. Anche per questo sono favorevole alle soluzioni pacifiche.»

«Io preferisco sempre le soluzioni rapide e radicali.»

«Non tutti hanno il vostro temperamento, Eminenza.»

«Allora cercherò di essere chiaro. Mi sono rivolto a te perché non posso comunicare con il Demonio che ha preso possesso del tuo corpo, altrimenti mi sarei rivolto direttamente a lui. Del resto tu sai che cosa dovresti fare e sai anche che mai vorrei darti la responsabilità di un gesto che si è reso necessario, anche se nella mia veste di ministro della Chiesa lo disapprovo con tutte le mie forze.»

«Mi mettete in un grave imbarazzo, Eminenza. Io non so niente, non so che cosa dovrei fare per voi e come e dove e quando. Ditemi con parole chiare se dovrò commettere un omicidio. Se è un suggerimento o un ordine.»

Il Diacono sperava di mettere in difficoltà il Cardinale, che non avrebbe mai osato commissionare un assassinio in modo esplicito.

«Ti ripeto che tu non commetterai nessun omicidio. Sarà il Demonio che agirà per mano tua.»

«Ma se mi prendono e mi bastonano di chi saranno le bastonate, mie o del Demonio? Vi ho detto che sono un vile, Eminenza, e che temo e disapprovo la violenza degli uomini, quale che sia il movente e chiunque ne sia la vittima.»

«Stai sollevando un problema già previsto e scontato. Anzitutto eviterai di farti prendere a bastonate. Se agirai con accortezza, difficilmente qualcuno potrà metterti addosso le mani. Secondo quanto ha stabilito il nostro vecchio Maestro di Camera, indosserai gli abiti di un giovane di strada così sarai più spedito sia nell'azione che nella fuga, per la quale avrai a tua disposizione una veloce carretta. Quando arriverai sul luogo sarà ancora buio, ma il personaggio di cui stiamo parlando, la vittima per intenderci, sarà vestito con l'abito da cerimonia e perciò non corri il rischio di confonderti e di colpire una persona innocente. Vedrai che tutto sarà più facile di quanto tu non pensi. Molti giovinastri commettono decine di omicidi nella nostra città in questo periodo e lo fanno con grande facilità o addirittura con piacere. Purtroppo questo avviene quasi sempre per vendetta o a scopo di rapina, cosa del tutto deplorevole. Il Demonio agirà invece per mano tua a vantaggio della giustizia, contro i soprusi e l'arroganza che portano il caos in seno alla Chiesa di Roma. Ora devo ricordarti che hai fallito il primo tentativo, da te voluto, di fare agire Satana per il tramite della strega Zenaide. Sono sicuro che questa volta non fallirai.»

Il Diacono Baldassarre rimase muto. Non avrebbe mai immaginato che il Cardinale potesse esprimersi in modo così esplicito e imperativo. Sentì in quel salone con le pareti coperte di specchi la presenza inconfondibile del Demonio che agitava la coda per portare disordine e violenza nel mondo ed emanava il ben noto puzzo di zolfo. Si asciugò il sudore con il dorso della mano e volle ripetere, come una litania, la sua confessione di inettitudine.

«Vi ho già detto, ma devo ripeterlo per onestà e prudenza, che io non so usare né la spada né il pugnale.»

«Hai fatto bene a ripetermi questa tua preoccupazione perché ho qualcosa da dirti a questo proposito. Devi sapere che proprio ieri sera prima di addormentarmi mi sono immerso nella lettura di antiche fiabe persiane. La lettura è sempre stata per me un mezzo efficace per conciliarmi il sonno, più di qualsiasi tisana o pozione soporifera. Stavo dunque leggendo una favola intitolata *Il grande furfante di Shiraz* nella quale una donna che vuole spillare denaro al marito scommette dieci monete d'oro che riuscirà a colpire una zucca con il nocciolo di un dattero. Il marito accetta la scommessa, ma vuole provare per primo. A questo punto viene detto nella favola che l'uomo posò il nocciolo del dattero sulla punta del dito indice e lo fece partire con uno scatto del pollice. Ti domanderai perché ti ho raccontato questo particolare. Te lo spiego subito. Mi ha colpito il gesto per lanciare il nocciolo di dattero perché corrisponde esattamente a quello dei nostri ragazzi quando giocano a palline, dopo più di mille e cinquecento anni. Ci sono dunque dei gesti che ormai fanno parte della natura umana come dare calci o grattarsi il naso. Fra questi c'è anche quello di colpire con una lama acuminata i nostri nemici.»

«Il Cardinale Ottoboni non è un mio nemico» disse il Diacono timidamente.

Il Cardinale continuò il suo discorso senza dargli ascolto, come se non avesse parlato.

«Per compiere questi gesti non c'è bisogno di andare a scuola o di esercitarsi perché siamo abilitati dalla natura. Ti ho fatto questo lungo discorso per dirti che non devi preoccuparti della tua inesperienza. Nei secoli, anzi nei millenni, attraverso generazioni e generazioni, l'uomo ha imparato a usare il pugnale quando si trova nella necessità di farlo. Mi dicono che perfino i popoli amerindi del Nuovo Continente, che fuggono davanti ai preti come animali selvaggi, una razza primitiva ricolma di vizi e bestialità, sono espertissimi nell'uso delle lame per uccidere i loro simili. E perché credi che si commettano tanti omicidi a Roma in questo periodo? Perché uccidere è facile, veramente troppo facile se poniamo mente al fatto che la maggioranza di questi delitti vengono commessi per ragioni disoneste.»

Il Cardinale fece una pausa durante la quale il Diacono rimase in silenzio, annichilito da quel discorso.

Ma era tutto vero quello che avevano udito le sue orecchie? Per un momento il Diacono rabbrividì pensando di trovarsi dentro a un incubo, tanto gli pareva irreale e oltraggiosa la situazione nella quale era stato coinvolto con una progressione che si era maturata giorno dopo giorno, fino a quando il Cardinale Cosimo Rolando della Torre, seduto nel Salone degli Specchi lì davanti a lui, gli stava chiedendo a chiare parole di uccidere il Cardinale Valerio Ottoboni. Vorrei tagliarmi le orecchie che hanno ascoltato queste male parole, si disse il giovane Diacono.

Innominabili delitti e nefandezze avevano macchiato di sangue la signoria dei Borgia, ma quelli sembravano tempi ormai lontani e da dimenticare. Non era dunque cambiato nulla da allora? E proprio a lui, povero figlio della rovina, doveva succedere di trovarsi al centro di quel disgraziato affare? Malasorte e infame casualità si erano abbattute su di lui per via di quei maledetti sternuti e a nulla erano valsi i suoi ripetuti tentativi di uscirne.

La voce del Cardinale, insieme affabile e luciferina, lo riscosse dai suoi pensieri.

«Naturalmente, anche se uccidere è facile, riceverai un premio quando sarà compiuta l'opera.»

No, non è un'opera, si disse ancora il Diacono in un rapido pensiero, non è un'opera ma un omicidio.

«Io vi ringrazio ma non voglio premi, Eminenza, perché sarà il Demonio il vero responsabile, come avete detto voi. Perciò dovreste premiare il Demonio. Lui merita un premio, non io.»

Il Cardinale sembrò offendersi. Rimase immobile come una pietra per qualche istante, poi estrasse da un cassetto una piccola borsa piena di monete sonanti. Il povero Diacono ancora per un momento credette di trovarsi di fronte al Demonio in persona travestito da Cardinale e se avesse avuto in mano un pugnale, forse avrebbe saputo come usarlo. Il Diavolo non era dentro il suo corpo ma era lì davanti a lui, sotto quegli abiti di porpora, dietro quello sguardo cattivo.

«Questi sono trenta ducati d'oro che intanto consegnerai a tua sorella Fiorenza. Con questo denaro potrà riscattarsi da una vita disonorevole. È una bella somma, e altrettante monete avrai tu quando ritornerai dopo avere compiuta la tua missione.»

Trenta denari come a Giuda, pensò il Diacono.

Prese in mano la borsa piena di monete e la soppesò come se volesse constatarne il valore e la sostanza materiale. Invece era soltanto l'imbarazzo e la vergogna di trovarsi fra le mani il prezzo dell'infamia. Mai nella sua vita aveva toccato una tale somma di denaro e ora sentiva che la sua coscienza stava per essere sedotta e la sua visione del mondo, così circoscritta, già si espandeva in un orizzonte per lui del tutto nuovo e avventuroso. Quel sacchetto di monete per un momento lo aveva distratto dall'impegno che, dopo tanti sotterfugi, sentiva ormai pesare sulle sue spalle come un destino ineluttabile. La sua coscienza ebbe un sussulto di ribellione. Decise di rifiutare e restituire al Cardinale quel denaro diabolico, suggello di un infame ricatto. Mai avrebbe accettato quel denaro, mai.

«Vi ringrazio per il dono generoso, Eminenza. Mia sorella ne sarà felice e mi auguro che con questo denaro possa cambiare vita.»

Le sue parole avevano preso una direzione tutta diversa dal suo pensiero.

«Con questo denaro» disse il Cardinale «potrà comprare un piccolo alloggio, e questo è il primo passo verso l'indipendenza. Una uguale somma riceverai anche tu e potrai disporne con totale e sovrana libertà.»

«Non ho mai maneggiato tanto denaro nella mia vita.»

«Ti accorgerai che lo sterco del diavolo non ha un così cattivo odore come si dice, e se lo usi con discrezione e intelligenza potrà indurti ad azioni oneste e vantaggiose per te e per il tuo prossimo.»

Il Diacono non ascoltava le parole del Cardinale,

seguiva altri pensieri che lo convinsero a un ultimo disperatissimo tentativo di liberazione e di fuga.

«Spero che mi permetterete di ripetervi, Eminenza, che sicuramente l'emozione farà tremare la mia mano. Siccome temo di fallire a causa di questa emozione, nel caso di un insuccesso non vorrei incorrere nelle vostre ire.»

«L'ira non si addice all'abito che indosso, ma spero in tutti i casi che non me ne darai l'occasione. Tu sai che anche sotto le vesti solenni di un Pontefice si può nascondere il vizio deplorevole dell'ira. Avrai sentito che Papa Giulio II bestemmiava e diventava minaccioso e terribile quando qualcuno tentava di intralciare i suoi progetti. Io non so come potrei reagire a un tuo fallimento, ma se verrò preso dall'ira, sarà tua la colpa e avrò una ragione in più per punirti.»

Era una minaccia. Il Diacono ebbe l'immediata cognizione del pericolo che si addensava sopra la sua testa. Strinse i denti e si disse che soprattutto gli conveniva non fallire. Da come si erano messe le cose, un errore o un fallimento avrebbero scatenato non si sa quale crudele vendetta da parte del Cardinale.

«Ti darà tutte le minute istruzioni lo Scalco della Casa» disse il Cardinale come se volesse chiudere il dialogo.

Il Diacono ebbe un lampo improvviso, una illusione di salvezza.

«Perché non mandate lui, Eminenza? È abituato a maneggiare i coltelli e sicuramente saprà usare il pugnale meglio di me.»

«Lo Scalco è un vecchio manigoldo che ho raccolto dalla strada molti anni fa e di cui posso fidarmi ciecamente. È espertissimo nel suo lavoro, sa usare i coltelli per spartire la carne durante i pranzi come pochi altri, ma è un essere primitivo, fragile di mente, emotivo, e all'occasione anche rissoso, assolutamente incapace di agire secondo un programma e una prospettiva. Lo Scalco ti fornirà i piccoli strumenti necessari, ti troverà un costume adatto e ti darà qualche elementare istruzione pratica, niente di più. Il Maestro di Camera ti aiuterà invece a fare il programma e ti presterà la sua carretta di servizio con un uomo abile nella guida, che potrebbe essere ancora lo Scalco. E adesso ti conviene passare dal Maestro di Camera per ricevere le istruzioni e la maschera di Carnevale che metterai sul viso per non farti riconoscere. Il Demonio ti obbliga ad agire, ma non si occupa della procedura, si affida totalmente a noi.»

«Volete dire allora che, invece di servirci del Demonio, ci mettiamo noi al suo servizio? È una vergogna lasciarci coinvolgere in un così turpe commercio.»

«Abbiamo Dio dalla nostra parte. Dio ci vede e ci approva.»

«Io spero, Eminenza, che Dio dorma a quell'ora buia del mattino e che non veda niente.»

«Noi sappiamo che il male si può combattere solo con il male. La violenza con la violenza.»

Il Cardinale porse la mano al giovane Diacono che baciò l'anello distrattamente, poi uscì dalla stanza masticando il sapore amaro della sconfitta e avendo nelle orecchie il risuono sinistro della sentenza, già udita altre volte dal Cardinale, che il male si può combattere solo con il male.

La sera quando si ritirò nella sua stanza, il Diacono per prima cosa spalancò la finestra sul buio per cercare ristoro nell'aria fresca della sera. Entrò invece un'ondata di aria afosa e davanti ai suoi occhi comparvero i profili grigi delle case su un cielo scuro e compatto, velato qua e là dalla umidità del fiume. Su questo scenario nero e grigio apparve improvvisamente davanti ai suoi occhi un manto di porpora svolazzante nel cielo e, sul manto, una larga chiazza di sangue. Il Diacono si fissò su questa immagine: quale è la differenza fra il rosso del sangue e quello della porpora? Il sangue è leggermente più scuro, tende al colore della ruggine, mentre la porpora è un rosso totale e luminoso. Questa chiazza di sangue sulla porpora cardinalizia si presentò ai suoi occhi con tutte le variazioni che la fantasia gli proponeva e soltanto il sonno e la stanchezza riuscirono alla fine a cancellare quei due colori che si sovrapponevano e si confondevano senza tregua.

Mentre stava per addormentarsi con la testa piena di punti interrogativi, gli ritornò alla mente la folle pretesa dell'ignoto scriba che affermava di conoscere la dimostrazione dell'assoluto. Come invece è relativa ogni cosa di questo mondo, pensò il Diacono Baldassarre, non soltanto i colori della porpora e del sangue, ma la stessa condotta di Dio che concede la sua protezione e benevolenza secondo criteri, o casualità, imperscrutabili. Bene aveva fatto quel topo a rosicchiare quella anonima e assurda pergamena.

XXII

Due sere dopo il suo fortunoso arrivo nella Casa del Cardinale Ottoboni, Severo stava dormendo e forse sognando qualche truce gaglioffata, quando venne un servo nella sua cameretta al piano terreno e lo svegliò dicendogli che doveva traslocare in un nuovo alloggio. A Severo sembrò di precipitare dalle nuvole.

«Mi scacciate?»

Il servo lo rassicurò dicendo che il trasloco era stato previsto e preparato per ordine del Maestro di Camera. Severo si infilò le scarpe ma non ebbe bisogno di vestirsi perché, per vecchia abitudine, dormiva con tutti gli abiti indosso. Il servo lo fece salire su una carretta trainata da una mula nera e insieme presero la strada in direzione di Borgo.

Già di poche parole, il servo non volle o non seppe dare spiegazioni su quel trasloco. Severo aveva già avuto notizia che gli sarebbe stato affidato un incarico, ma ancora non sapeva che lo avrebbero trasferito in un rifugio dal quale sarebbe partito la domenica prima dell'alba, e nel quale si sarebbe nascosto a missione compiuta.

«Ti credevi di stare da noi a pensione?»

«Mi sembrava una bella comodità.»

«Io non so niente, ma forse per la Casa del Cardinale sei un ospite incomodo.»

La carretta attraversò la piazza del Circo Agonale ancora disseminata di avanzi del mercato, ceste sfondate, mucchi di torsoli e di frutta marcita, poi prese la via di Tor Sanguigna tutta deserta fino al Tevere, attraversò sveltamente il Ponte Sant'Angelo e andò a fermarsi in vicolo del Piombo nel Rione Borgo, davanti a un portoncino tutto chiodato. Il servo fece scendere Severo e lo introdusse in un piccolo alloggio, due stanze affiancate al piano terreno, mobiliate sommariamente, con due piccole finestre sulla strada e, nella cucina, il pozzo in una bombanza del muro a fianco del camino. Si fece aiutare a scaricare dalla carretta un sacco di provviste e lasciò lì Severo a lume di candela.

«E adesso che cosa faccio?»

«Di là c'è un letto, ti puoi rimettere a dormire in buona pace.»

«E poi?»

«Più tardi verrà il Maestro di Camera a insegnarti un po' di latino.»

Il servo uscì per rimontare sulla carretta, ma Severo lo richiamò.

«E la chiave di casa? Che sarebbe, una prigione?»

«Te la darà il Maestro di Camera. Per adesso non ti serve.»

Il servo chiuse la porta da fuori e ripartì sulla carretta.

La sera stessa una carrozza di servizio senza lo stemma della Casa si fermò davanti al portoncino del nuovo alloggio di Severo a vicolo del Piombo e ne scese il Maestro di Camera del Cardinale Ottoboni. L'anziano prelato entrò lesto e a testa bassa come se temesse di essere visto da qualche occhio indiscreto.

«Monsignore» disse subito Severo «mi dovete dire che cosa ci faccio qua. Io sono duro da capire, Monsignore.»

«Non ti piace? È un alloggio a tua disposizione, per i comodi tuoi. Questa è la chiave.»

«Per un giorno, una settimana, un mese? Fatemi capire la mia sorte in nome di Gesù Bambino.»

«Per un anno. Potrai abitare qua per un anno, protetto dal sole e dalla pioggia. Ti va bene? Ti piace questo alloggio?»

«Se mi piace? Mi piace sì, è una casa di gran lustro per un delinquente come me.»

Severo indicò al Maestro di Camera la panca davanti al camino. Poi prese da una seggiola una sottanella da casa e due forcine d'osso, e le mostrò a Monsignore.

«Qua c'è stata una donna, pure giovane e, a giudicare dalle misure, anco ben formata. Che m'offrite, la casa e pure una donna? Cosa devo pensare?»

Il Maestro di Camera sorrise divertito. Poi guardò intensamente Severo.

«Lo saprai anche tu che molte puttane preferiscono alloggiare qui a Borgo piuttosto che all'Ortaccio. Qui sono più vicine ai pellegrini, alla preteria vaticana e a quelli che arrivano da fuori e vanno in cerca di un letto per dormire. Se quel letto viene offerto da una puttana, il pellegrino stanco e il prete forestiero pagano più volentieri che per un letto vuoto. Così può essere che questa casa fosse data in pigione a una di queste donne che sono in gran tramestio anche loro per l'arrivo del nuovo Papa. Eccoti spiegato il mistero di questo indumento.»

«Mi ha fatto venire delle idee turche nella testa, Monsignore.»

«Ti posso capire, ognuno ha i desideri suoi ma bisogna imparare a tenerli da conto per le buone occasioni, che non vengono tutti i giorni.»

«Così fate voi?»

«Così faccio.»

«Dicevo soltanto che la casa mi piace, ma quella che stava qua dentro» e Severo mostrò di nuovo la sottanella «mi farebbe ancora più contento. Io parlo perché ho la lingua in bocca, Monsignore, non ci fate caso.»

«L'uomo ha due orecchie e una lingua sola. Al Cardinale sei piaciuto perché sai tacere, ma adesso non fantasticare troppo. Ti abbiamo dato questo alloggio per nasconderti, non per il piacere tuo.»

Severo drizzò subito le orecchie alle parole del Maestro di Camera.

«Nascondermi da che?»

«Avrai bisogno di restare nascosto per un po' da quel che mi risulta.»

«Perché mi devo nascondere? Voi non mi date protezione?»

«Dopo questa domenica noi non ti conosciamo più, mai visto mai conosciuto. Questa è una casa sicura, con una porta doppia di quercia e ferrate alle finestre che farebbero aggio a un assalto di lanzichenecchi.»

Severo parve acquietarsi a queste parole del Maestro di Camera.

«I lanzi non entrano, Monsignore, però entrano i scarafacci. Mi fanno impressione i scarafacci più che i lanzi, parola mia. Sono sghifiltoso, Monsignore illustrissimo.»

«Così non ce la fai ad ammazzare gli scarafaggi. Gli uomini sì e gli scarafaggi no.»

Severo guardò il Maestro di Camera con un sorriso furbesco.

«Che lenza che siete, Monsignore, siete proprio una lenza.»

Il Maestro di Camera sapeva di essere una lenza. Sorrise appena.

«Non sono venuto qua per dirti di ammazzare gli scarafaggi, caro Severo.»

«Grazie tante. Chi altro devo ammazzare?»

«Al Cardinale sei piaciuto, te l'ho già detto, perché sai tenere la bocca cucita.»

«Però quel gioco della candela non m'è garbato manco un po'.»

«Superando quella prova ti sei conquistata la fiducia del Cardinale e ti sei guadagnato questo alloggio per un anno.»

«E in cambio cosa volete?»

«Prova a pensarci.»

Severo aveva capito e fece ancora un sorriso di malizia.

«Ditemi chi devo ammazzare e io vado e gli stacco l'anima dal corpo. L'ho spiegato al Cardinale che questo è il mio mestiere.»

Il Maestro di Camera si aspettava la risposta, ma non così diretta, perciò rimase qualche momento senza parole.

«Io non ho parlato di ammazzare nessuno. Sei tu che me lo proponi.»

«Sono abituato che ogni tanto qualcuno mi chiede di ammazzare qualcuno. Io dico di sì o dico di no, a seconda come mi gira e a seconda della paga perché questo è il mio lavoro. Però per il Cardinale lavoro gratis.»

Il vecchio prelato non sapeva come reagire a tanta franchezza. Aveva immaginato che gli sarebbe stato difficile intendersi con quel bruto, ma ora tutto diventava più semplice dal momento che lo stesso Severo si era proposto come sicario.

«Questa casa per un anno, e trenta ducati sonanti. Ti sta bene?»

«Che lenza che siete. Mi invogliate con un bel malloppo, ma mi volete dire chi devo ammazzare? E si tratta di un lavoro risicoso?»

Il Maestro di Camera ebbe ancora un momento di esitazione prima di fare il nome della vittima.

«Il Cardinale della Torre l'hai sentito nominare?»

«Come no?»

«Posdomani mattina uscirà prima dell'alba dalla sua casa a piazza dell'Oro per montare in carrozza insieme al suo Maestro di Camera, al Decano e a un Gentiluomo della Casa per andare alla Basilica di San Paolo a rendere il saluto al Papa che arriva dalla Spagna.»

Severo sembrò accendersi in volto di una gioia improvvisa.

«Un Cardinale! Ma voi mi fate un regalo! Non ho mai ammazzato un Cardinale, parola mia. Questo è un gran bucio di culo.»

«Io ti ho detto soltanto che il Cardinale della Torre posdomani uscirà dalla sua Casa prima dell'alba, non ti ho detto altro.»

«Terrò la bocca cucita, statevi tranquilli che da qui non uscirà nemmeno un fiato.»

«Vuoi esprimere qualche necessità?»

Severo rimase a pensare qualche istante.

«Non ho con me i ferri del mestiere. Mi servirebbe un filo doppio.»

«Un filo?»

«Un pugnaletto. Io posso lavorare pure con un coltello per sgozzare i maiali, ma questo è un lavoro da fare a regola d'arte, svelto e sicuro. Non posso darvi una bufala, è la prima volta che squaglio un Cardinale.»

«Troverai ogni cosa in quel sacco.»

«E poi?»

«Dovrai arrivare sul posto prima dell'alba, una levataccia. Manderò io un uomo a tirarti giù dal letto.»

«Non mi serve.»

«E io te lo mando lo stesso. Mi pari un gran sonnacchione.»

«Fate voi.»

«Subito dopo dovrai rientrare qui in casa e non uscirne per almeno una settimana.»

«E cosa mangio?»

Il Maestro di Camera indicò il sacco scaricato dal servitore e ancora chiuso.

«Lì dentro ci stanno le provviste per il dopo. Ma nessuno potrà assisterti o riportarti a casa. Dovrai fidarti delle tue gambe. Se ti serve posso mandare un uomo con la carretta per condurti sul posto, ma ritornerai a piedi e da solo.»

«Basta che non mi mettete intorno quei due scarafoni che mi hanno bruciato i calcagni. Se posano i piedi qua dentro non escono vivi, parola mia che li sbudello tutti e due.»

Il Maestro di Camera lo guardò preoccupato.

«Hanno agito per ordine del Cardinale, non devi portargli rancore.»

«Mi hanno bruciato i calcagni, ve l'ho detto. Non me li mettete davanti agli occhi se no li ammazzo.»

«Va bene. Ti manderò un servitore con la carretta che ti porterà a piazza dell'Oro. Poi ti dovrai arrangiare per conto tuo. Di solito il Cardinale esce con le persone del seguito, più il cocchiere. Sono tutte persone anziane e malferme sulle gambe.»

«Devo ammazzarli tutti?»

«Ma che cosa hai capito? Sarebbe un errore e anche una bricconata inutile perché si tratta di persone senza colpa.»

«Quei formiconi hanno gli occhi per guardare e per riconoscermi. Uno più uno meno che fa?»

Il Maestro di Camera lo guardò con severità.

«Ti metterai un fazzoletto davanti alla faccia. Devo proprio dirti ogni cosa?»

Severo fece un leggero cenno di approvazione.

«Apri quel sacco adesso. È tutta roba tua.»

Severo aprì il sacco di canapa e cominciò ad allineare sul tavolo della cucina la mercanzia nominandola volta a volta.

«Una caciotta fresca e quattro caciotte mezzane, dodici pagnocche di pane biscottato, due lonze di porco, una pancetta, patate e cipolle crude, tre capi d'aglio, una scarsella di sale grosso, quattro orcetti mi pare di miele, prugne e pere secche, un barilotto non so di che.»

«Sono dieci misure di vino bianco di Frascati. E quando le provviste saranno consumate potrai rifornirti a tuo piacere con i trenta ducati che riceverai da un nostro servitore.»

«Qui c'è tanta roba da fare una bella festa con le mignotte dell'Ortaccio. O con quelle di Borgo che sono pure meglio.»

Il Maestro di Camera diede una brutta occhiata a Severo che riprese a frugare nel sacco e pescò dal fondo un piccolo involto di tela.

«Questo è siggillato e non so cosa ci sta dentro.»

Il Maestro di Camera gli fece segno di aprirlo.

Severo ruppe il sigillo dell'involto e tirò fuori due pugnaletti sottili e lucenti. Li prese in mano, toccò le punte con il polpastrello, si passò prima l'una e poi l'altra lama sulla lingua per saggiare la qualità del filo. Poi fece uno schiocco con la lingua.

«Mai vista roba così fina. Sarebbe un imprestito o un regalo?»

«Un regalo, Severo, un regalo.»

Il Maestro di Camera gli passò una mano sui capelli e l'uomo lo guardò subito con sospetto, una occhiataccia da mettere paura. Il Maestro di Camera si ricompose, sorrise appena per superare l'imbarazzo. Poi riavvolse i due pugnali nella tela e glieli mise in mano.

«Conservali bene. E non uscire dalla casa per nessuna ragione. Ti riconosco come fantastico e lunatico, ma qui devi tenere la testa sul collo.»

«Statevi tranquillo per posdomani. Mi rimbocco le mani e parto come una saetta.»

«Ti rimboccherai le maniche, non le mani.»

Severo lo guardò con sufficienza.

«Eh no, Monsignore, per il mio lavoro io adopero le mani, non le maniche.»

Il Maestro di Camera capì che non era il caso di discutere sulle parole con quel gaglioffo. Era il momento di andarsene, ma Severo lo prese per un braccio mentre già stava sulla porta.

«Ci ho ripensato, Monsignore. Non mi mandate nessuno con la carretta. Preferisco andare con i piedi miei, senza impicci. La strada per arrivare a piazza dell'Oro la conosco.»

«D'accordo, ci fidiamo di te e della tua buona volontà.»

Severo si mise a ridere.

«La chiamate buona volontà? È il mestiere mio.»

Il Maestro di Camera uscì sulla strada e montò svelto in carrozza per ritornare alla Casa del Cardinale Ottoboni. La sua ambasceria era compiuta.

XXIII

E siccome tutta la terra aspettava la domenica come il dì del riposo, eccezion fatta per i botteganti delle cibarie e per la mercatura del pesce al Portico d'Ottavia e alle Coppelle, la città stentava a popolarsi per il prolungarsi del sonno e puranco i chierici tardavano alle funzioni loro di chiesa e di sacristia. E un silenzio di cimiterio inquietava gli animi di chi si affacciava alla città nelle preste ore prima del sole.

A quell'ora della domenica Roma era ancora al buio, le case erano chiuse e rare luci filtravano dalle finestre. Carri arrivavano dalle campagne carichi di verdure per i magazzini e pescatori insonnoliti portavano il pesce al mercato dentro cesti di vimini o vasche di zinco. Cani randagi già correvano alla ricerca di cibo e frotte di gatti stazionavano davanti alle beccherie chiuse.

Una carretta di servizio guidata dallo Scalco, che portava un farsetto di tela scura sulle spalle, uscì da piazza dell'Oro e prese la strada di Torre Argentina a lento passo perché il cavallo non scivolasse sul selciato di sampietrini. Appena superata la via dei Conciatori il cavallo riprese a passo più svelto la direzione verso il Pantheon e la Dogana Vecchia.

La carretta portava uno strano carico affagottato sotto un panno nero che ondeggiava alle scosse del veicolo: il Diacono Baldassarre stava nascosto sotto quel telo per evitare che qualcuno lo riconoscesse, cosa del resto poco probabile a quell'ora presta del mattino. Ma quel viaggiare alla cieca, anche se il tragitto era breve, non piaceva al giovane Diacono che ogni tanto sollevava il panno nero e si guardava intorno per scoprire la città. Perfino le pietre delle case gli davano conforto piuttosto che stare lì sotto in quel buio di tomba.

La strada buia, che riconobbe come la via dei Falegnami, le case buie, il cielo nero, lo resero dubbioso sulla necessità di rimanere nascosto. Il travestimento da malandrino, un farsetto verde e un paio di brache rattoppate e calze a suola di feltro per camminare lesto, lo avevano messo in uno stato d'animo insolito, come spossessato della persona, così che già attribuiva nell'animo suo il delitto che stava per commettere al giovane malandrino che impersonava con quel travestimento. Ma in fondo alla propria coscienza inquieta ancora si sforzava di coinvolgere il Demonio dal quale tuttavia non sentiva dentro di sé nessuna spinta a commettere quell'omicidio. Che avesse in corpo un demonietto pigro e casalingo come una volta aveva tentato di prospettare al Cardinale e a se stesso?

A un tratto si rese conto che era passato davanti alla chiesa di San Biagio che stava proprio al principio della via dei Falegnami. E non aveva sternutito. Che novità era mai questa? Forse il Diavolo che portava in corpo dormiva a quell'ora buia? O si era dato latitante proprio quando era più necessaria la sua presenza? Oppure era un intervento tardivo del Cielo? O forse l'emozione lo aveva guarito da quel ridicolo malanno degli sternuti che gli aveva procurato tanti guai? Non sapeva nemmeno se dovesse gioire o dispiacersi di questa novità.

Per farsi animo strinse con la mano l'impugnatura dello stiletto a fiamma che aveva avuto in dotazione dallo Scalco e si sforzò di non pensare a nulla ben sapendo che il pensiero è sempre un ostacolo all'azione. Era una azione che gli si chiedeva e niente altro. Ma nonostante i suoi sforzi di non pensare a nulla, non poteva impedirsi di ascoltare le voci interne per capire se finalmente si faceva presente questo Demonio che avrebbe dovuto guidare la sua mano a macchiare di sangue il manto di porpora del Cardinale Ottoboni.

L'aria del mattino era fresca, ma dalla strada e dai muri delle case ancora si spandeva il calore assorbito in quelle giornate torride. Il Diacono era quasi felice. Diavolo o no, fra poco si sarebbe tolto dalle spalle quel fardello e non avrebbe dovuto affrontare mai più quelle penose discussioni con il Cardinale della Torre e con il vecchio Priore della Scrofa. Si sforzava di cercare nelle viscere, nella testa, perfino nei piedi e soprattutto nelle mani la presenza del Maligno. Gli parve di sentire finalmente una vampata di calore che gli saliva dentro. Che fosse un messaggio della presenza demoniaca? Oppure soltanto un effetto dell'emozione? Ma no, si disse, doveva essere proprio il Demonio che gli mandava il segnale della sua presenza con quelle vampe che gli infuocavano il viso e le orecchie. Si ricordò dell'infame Codronchi che gli aveva elencato tutti i sintomi della possessione demoniaca. Gli aveva parlato proprio di queste vampate di calore e perciò doveva essere senz'altro il Demonio a provocarle. Sentì a un tratto un formicolio nelle mani e ne trasse nuove conferme: era evidente che il Maligno cominciava a dare segni della sua presenza lì sulla carretta che lo portava verso la Casa del Cardinale Ottoboni.

Per un istante ritornò ancora alla mente del Diacono la sentenza della pergamena rosicchiata dal topo. Che sia la morte la dimostrazione evidente dell'assoluto? La morte è il buio infinito o la luce infinita, l'abisso totale, la fine dei numeri, della teologia, della scienza. Che cosa c'è di più assoluto della morte? La sua mano e quel pugnale a fiamma erano dunque gli strumenti logici e teologici per dare una risposta a quella misteriosa e folle proposizione? Su questo pensiero si acquietò e si disse che nessun altro pensiero doveva correre più nella sua mente, nessuna distrazione, e si nascose di nuovo sotto il panno nero.

Ma perché non aveva sternutito davanti alla chiesa di San Biagio in via dei Falegnami?

La carretta di servizio, arrivata in via delle Terme Agrippine aveva accelerato l'andatura e ora sobbalzava sulle buche e sui blocchi di travertino che affioravano dal piano stradale. Il Diacono liberò appena gli occhi dal panno nero che lo copriva e vide un uomo che camminava a testa bassa in direzione contraria alla sua lungo le botteghe ancora chiuse degli artigiani del ferro battuto. Lo colpì il passo deciso e forte di quello sconosciuto e il suo aspetto per niente rassicurante. Si domandò che cosa potesse accomunare il suo destino di Diacono pavido e perplesso al destino di quell'uomo che camminava al buio nella città deserta. Come sono distanti gli uomini l'uno dall'altro anche se si incontrano come cani randagi nella stessa ora e nello stesso luogo.

Per un istante gli parve che quell'uomo volgesse lo sguardo in direzione della carretta e subito si coprì il volto. Una vaga sensazione di pericolo proveniva da quella figura solitaria. Sono gli uomini della notte, si disse, a loro agio più nel buio che alla luce, figure ambigue e pericolose che non vorresti mai incontrare sul tuo cammino. Quell'uomo gli aveva dato un brivido di inquietudine. Dove andava a quell'ora? Il Diacono ebbe un breve moto di gelosia, quasi di invidia. Per quanto potesse immaginare squallido il destino e amara la vita di quello sconosciuto, si disse che non poteva avere davanti a sé un compito scellerato quanto il suo.

Severo da parte sua non diede importanza reale a quella carretta che aveva incrociato sulla via delle Terme Agrippine, ma ne fu turbato. Aveva appena notato la presenza di un uomo coperto da un panno nero e aveva subito accelerato il passo pensando che poteva essere un appestato. Non lontano da lì, all'Ospedale di Santo Spirito appena di là dal Tevere, avevano da poco allestito un reparto per le vittime del contagio. Un brivido aveva percorso la schiena del sicario. Severo non era certo un uomo di paura, ma di fronte alla peste si sentiva disarmato, incapace di qualsiasi difesa se non quella di allontanarsi in fretta. Quell'incontro gli aveva smorzato l'entusiasmo e quasi l'allegria con cui si era avviato a una impresa che lusingava la sua vanità di sicario.

Il giorno prima era andato a ispezionare la piazza dell'Oro sulla quale si affacciava il palazzo del Cardinale della Torre e aveva trovato, lì vicino, il cantiere di una chiesa in costruzione dove avrebbe potuto nascondersi. Dal cantiere alla Casa correvano venti passi che avrebbe percorso senza affanno per non dare nell'occhio, fino a quando si fosse trovato vicino alla carrozza sulla quale doveva salire il Cardinale. Si fermava sempre qualche passante quando appariva sulla strada un Cardinale, e all'uscita dai loro palazzi c'erano a ogni ora gruppetti di mendicanti che il più delle volte venivano scacciati. Severo non aveva l'aspetto di un mendicante. Si sarebbe avvicinato con passo tranquillo come un passante casuale e mattiniero. Il buio avrebbe nascosto la sua faccia di gaglioffo e nessuno lo avrebbe notato.

Quando Severo arrivò al cantiere, la carrozza del Cardinale era già ferma davanti al portone. A quell'ora non c'erano gendarmi ma soltanto il cocchiere in attesa sulla strada. Severo si appostò dietro a un tavolato del cantiere. Aspettò non più di mezz'ora. Finalmente il portone si aprì e uscirono due vecchi prelati della Famiglia. Severo uscì dal suo nascondiglio e si avviò con passo deciso verso il portone sul quale compariva in quel momento il Cardinale della Torre seguito dal Gentiluomo e dal Decano della Casa.

Quando fu a pochi passi dalla carrozza Severo si coprì il viso con il fazzoletto che aveva infilato in una tasca e strinse nella mano il pugnale. Era la prima volta che uccideva un Cardinale e il suo cuore malandrino batteva forte come un tamburo.

Il Diacono Baldassarre, dopo tutti i tentativi per sottrarsi alla richiesta del Cardinale della Torre, aveva deciso di agire con fermezza e a denti stretti, come un vero sicario, sollecitato dallo Scalco a cassetta che gli ripeteva:

«Vedrai che sarà facile. Ammazzare un uomo è la cosa più facile del mondo».

A un tratto il Diacono tirò fuori la testa.

«Se è così facile perché non lo ammazzi tu?»

«Non si può.»

«Ti do trenta ducati d'oro.»

Lo Scalco tacque per qualche istante.

«E dove li prendi trenta ducati?»

«Me li dà il Cardinale.»

Nuovo silenzio dello Scalco.

«No, non si può.»

«Perché non si può?»

«Il Cardinale è un uomo terribile, io lo conosco bene. Se lo viene a sapere mi fa fare la fine di quella poveretta strangolata nel carcere di Tor di Nona.»

«Ma quella aveva dato l'arsenico al Chierico Abbreviatore.»

«Qualcuno dice che lo ha fatto avvelenare il nostro Cardinale per avere subito la sua carica, ma che l'altro Cardinale è stato più svelto di lui.»

«E così rinunci a trenta ducati?»

«Con il Cardinale non si scherza. Non voglio finire ai cani.»

«Trenta ducati sono tanti.»

«No, non si può. Non me lo chiedere più.»

Il Diacono si nascose di nuovo sotto il drappo nero affidandosi ormai agli eventi. Fra le mani rigirava l'orrenda maschera di Carnevale che gli aveva consegnato il Maestro di Camera: il naso adunco come il becco di un uccello rapace, le guance rosso fiamma piene di bitorzoli, le orecchie appuntite color paonazzo e, in corrispondenza degli occhi, due buchi tondi attraverso i quali avrebbe guardato la sua vittima. Quella maschera carnevalesca corrispondeva esattamente al suo stato d'animo, simulava insieme la Festa dei Folli e la sua personale Tragedia.

A un tratto la carretta si fermò all'inizio della Dogana Vecchia e lo Scalco lo toccò sulla spalla.

«Siamo arrivati. C'è già la carrozza davanti all'ingresso.»

Il Diacono si scoprì la testa, si guardò intorno nel buio. Vide la carrozza là in fondo alla strada davanti al palazzo del Cardinale Ottoboni.

«Noi stiamo fermi qua, tanto nessuno ci vede e se ci vedono penseranno che è una carretta del pesce. Quando esce il Cardinale ti porterò fino alla sua carrozza senza strepito. Il resto è nelle tue mani, e ricordati che ammazzare un uomo è la cosa più facile del mondo.»

Il Diacono si toccò le gambe, le braccia, i piedi. Si sentiva stranamente a suo agio nei panni di un giovane di strada. Si calcò in testa una berretta e si aggiustò sopra al naso la maschera carnevalesca per non farsi riconoscere. Era arrivato finalmente il momento della verità. Si sentì invadere da una folle eccitazione e ancora una volta si domandò quale differenza corre tra il rosso del sangue e il rosso della porpora.

«Ci siamo» disse lo Scalco e partì con la carretta per raggiungere il Cardinale che stava uscendo dal portone del palazzo alla Dogana Vecchia.

XXIV

Una figura di donna con un rosso mantello sbrindellato sulle spalle e in testa un vecchio cappello da Cardinale con tintinnaboli appesi all'orlo, percorreva a cavalcioni di una mula bianca la via Sacra in direzione del Laterano battendo con fragore due piatti di ottone per richiamare l'attenzione della gente. Quattro oche bianche seguivano la mula legate alla coda con quattro cordicelle. Il volto della donna era coperto da una maschera nera maculata di verde e di giallo che richiamava agli occhi degli spettatori più attenti l'immagine terribile della peste. Quella maschera era una eccezione. Da molti anni le maschere a Roma erano prohibite a pena de la forca perché ogni giorno de maschere se amazavano de multa brigata: a chi la testa, a chi la mano in terra mozzata, a chi la spalla pendeva, a chi era tronchata la gamba, chi era getato in Tevere, in modo che la città serìa tosto ruinata.

Chi si nascondesse quell'anno sotto la figura mascherata che attraversava la città per dare l'annuncio della Festa delle Oche e dei Cani nessuno sapeva, ad eccezione di pochi e fra questi il Diacono Baldassarre che aveva passato al Cardinale della Torre la preziosa informazione: quella donna era Palmira.

Infiacchiti da quell'agosto torrido e opaco per l'umidore dell'aria, ma decisi ugualmente a non perdere una occasione di fantasia cittadina, torme di ragazzini e vagabondi seguivano rumoreggiando la figura carnevalesca mentre i passanti cercavano di indovinare il volto nascosto sotto la maschera.

Mai si era annunciata così trista e inquieta la Festa delle Oche e dei Cani, che doveva ricordare ai Romani l'assedio del Campidoglio da parte dei Galli invasori. I quali avevano già scalato la Rupe Tarpea in tanto silenzio che non solo erano riusciti a eludere le sentinelle, ma non avevano svegliato nemmeno i cani. Si svegliarono invece con grande strepito le oche che i Romani assediati, nonostante la penuria di viveri, avevano risparmiato perché sacre a Giunone. Così, per loro merito e gloria, i Galli vennero respinti e sconfitti.

Nella festa che veniva celebrata nella antica Roma i cani venivano crocifissi e le oche ornate di porpora e oro e portate in corteo. La Festa delle Oche e dei Cani si era protratta nei secoli e ancora si celebrava a Roma con grande gazzarra, una specie di Carnevale estivo durante il quale però i cani non venivano più crocifissi ma presi a frustate per le strade o semplicemente sgridati a gran voce. Una festa pagana che i Governatori del Campidoglio avevano a bella posta fatto coincidere con l'arrivo a San Paolo dell'aborrito Papa fiammingo.

L'allegria chiassosa dei ragazzini che sgambettavano intorno a quella figura carnevalesca, che percorreva le strade di Roma su una mula bianca come quella del Papa, faceva contrasto con le esclamazioni volgari e gli sfoghi del popolaccio che gettava torsoli di cavolo addosso alla sconosciuta, con gesti di scherno diretti non tanto alla donna quanto a ciò che raffigurava con quel cappello cardinalizio sulla testa.

La gente si affacciava alle finestre richiamata dal fragore dei piatti battuti dalla ignota annunciatrice della festa. Era costume che tale annuncio venisse fatto da una donna di malaffare o da una cortigiana di rispetto che si prestava alla rumorosa mascherata. Si conveniva ogni anno di tirare a sorte fra quelle donne che avevano iscritto il loro nome in Campidoglio e sulla identità della sorteggiata si facevano poi scommesse, si pretendeva di riconoscere la messaggera dal culo o dalle tette, ma questa volta il lungo mantello ostacolava ogni competente ispezione. E tutti si domandavano su chi fosse caduta la scelta in quell'estate di tribolazione.

I vantaggi di quell'incarico non erano tanto i quattro ducati d'oro che venivano assegnati alla prostituta sorteggiata, ma la nomea che ne seguiva e la richiesta conseguente di nuove e meglio pagate prestazioni. Ma quell'anno la messaggera non avrebbe avuto questa sorta di tornaconto a causa di un incidente che sorprese il mondo e subito mosse un gran parlare tra la folla festaiola.

La messaggera dunque procedette a cavalcioni della sua mula bianca per la via dei Banchi attraverso il Rione Regola, e qui poche finestre si aprirono al suo passaggio perché gli addetti alle banche lavoravano anche nei giorni di festa e non si lasciavano di-

stogliere dai loro traffici di moneta per queste carne-
valate. Poi percorse la via dei Funari lungo i muri del
Circo Flaminio dove ricevette dalle finestre qualche
omaggio di uovi marci e torsoli, qualche cipolla ger-
mogliata, qualche straccio impolverato. A un certo
punto la mula sembrò perdere la sua calma rischian-
do di disarcionare la cavaliera mascherata a causa di
due dannati cani randagi che le si misero attorno abbaiando, fino a quando un vecchio fontaniere uscì
dalla sua bottega e li scacciò a bastonate.

Superato il Foro e il Colosseo la mula rallentò il
passo mentre la messaggera smise per un tratto di
percuotere i piatti di ottone. Fu proprio alla salita del
Celio che una carretta coperta sbucò da una stradina
laterale come se fosse lì ad aspettare il suo passaggio,
ne scesero due uomini risoluti che afferrarono la donna per le braccia, la tirarono giù dalla mula e la fecero
entrare a forza sotto il tendone della carretta mentre
inutilmente sgambettava e strillava.

Un rapimento brigantesco sotto gli occhi straniti
della gente venuta per assistere al passaggio della
messaggera mascherata e che ora si ritraeva sbigotti-
ta, mentre la mula era rimasta in mezzo alla strada e le
quattro oche legate alla sua coda si erano messe a fare
un gran schiamazzo provocando altra confusione tra
gli spettatori.

I due figuri che avevano rapito la giovane donna
scomparvero velocemente con la carretta, guidata da
un terzo uomo con la faccia nascosta da un cappel-
laccio calcato fino agli occhi.

La piccola folla che si era radunata davanti al Laterano a fare scommesse e ad aspettare l'arrivo della
donna mascherata e la rivelazione pubblica della sua

identità, venne a sapere dell'agguato e non seppe darsene ragione. Nessuno per la verità riusciva a spiegarsi perché mai qualcuno avesse deciso di rapire il simbolo di quella festa antica. Ma i rapitori non pensavano affatto ai cani e alle oche, non era di questo che si interessavano.

Quando Palmira vide da vicino i brutti ceffi dei due uomini che l'avevano trascinata sulla carretta, ebbe per qualche momento il timore di subire violenza o addirittura di essere in pericolo di vita.

«Che cosa volete da me?» domandò tenendo ancora fra le mani i suoi piatti sonori. «Che cosa volete farmi?»

I due uomini le tolsero la maschera dal viso e la guardarono con desiderio. Ma gli ordini che avevano ricevuto erano altri.

«Ti facciamo sapere» disse il più piccolo dei due malandrini «che ci pagano per portarti a casa di un amico tuo e che ci hanno raccomandato di farlo con le buone maniere. Tutto qua.»

«Grazie tante, mi avete storcicato un braccio con le vostre buone maniere.»

«Siamo un po' materiali per natura, non per cattiveria.»

«Ditemi chi siete e chi vi manda.»

«Noi non siamo nessuno. Che ti importa di gente come noi? Tu navighi in mezzo ai Cardinali.»

«Dove navigo io sono cazzi miei.»

«Sono anche cazzi nostri perché abbiamo questo da consegnarti dalla parte del tuo protettore.»

Palmira sgranò gli occhi mentre l'uomo le porgeva

un mazzo di rose con un biglietto legato con un sottile nastro di seta.

«E queste cosa sono?»

«Che, sei cecata?»

Palmira aprì il biglietto con le mani che le tremavano e lesse attentamente la chiara calligrafia. "Il Diavolo che incontraste una notte nel galeotto palagio Riario presso il Campo de' Fiori si è ravveduto dalle notarili imposizioni di un tempo, e vi scrive ora sperando nel Vostro perdono con mano timorosa come si addice a chi, anche sotto diaboliche spoglie, da sempre si pasce di honesti e amorosi sentimenti. Quando ebbi notizia che eravate Voi la messaggera della Festa delle Oche e dei Cani, si risvegliò nel mio animo l'azzardo amoroso che mi guidò quella notte. E così fui indotto a un ardito ma honesto rapimento che, se ancora siete la medesima Signora venturosa di quel tempo, non vi dispiacerà troppo. Sarà consolatione grandiosa al mio animo inquieto ritrovarvi nella mia casa al ritorno da un incontro nella Basilica di San Paolo con il nuovo nostro Signore venuto dalle regioni della Fiandra, il quale tante incertitudini ha seminato nei nostri animi. Perdonate, Signora, il mio ardimento e degnateVi di aspettare meco tempi migliori. Voglio rassicurarVi per la pace Vostra che negli anni di nostra lontananza infino a oggi la mia vita fu improntata per intero e non per la metà come forse vi credete, e lo sarà anco per il futuro, a costumi honestissimi e generosi verso il prossimo mio, financo verso i nemici miei. Ma se questo ardimento non vi aggrada, potete mostrare questo scritto ai due malandrini che stanno al fianco Vostro sulla carretta, i quali lestamente vi condurranno per mio espresso comando dove Voi vorrete. Ma spero ardentemente, al ritorno da San Paolo fuori le Mura, di abbracciar-Vi, mia Signora diletta, e di manifestarVi con le parole e con l'offerta della mia Casa, l'amore che vi porto. Ora sapete quali sono i desideri e le speranze del Vostro devotissimo Diavolo."

Palmira non voleva lasciarsi prendere dalla commozione. Rigirò ancora fra le mani il biglietto e vide che sul foglio era inciso a secco lo stemma del Cardinale Cosimo Rolando della Torre, una torre merlata al centro e un motto in alto, curvo come l'orizzonte: "Tristis eris si solus eris". Era dunque la buona metà del Cardinale che si palesava in quella veste di Diavolo rapitore? L'amava ancora dopo tanti anni quel gaglioffo di un Cardinale? Che confusione, e che felicità.

«Adesso ti senti meglio?» domandò uno dei due malandrini.

«Mi sento meglio sì» disse Palmira «ma non capisco che bisogno c'era di fare tanto trambusto.»

«È un tipo venturoso il tuo protettore, gli garbano le gaglioffate.»

«Allora lo conoscete.»

«È lui che ci ha dato tutte le istruzioni e anco i fiori e la lettera.»

Quanta confusione sotto il cielo. La ricerca e la delusione, l'impazienza e l'arroganza, ma anche l'amore e il rifiuto circondano l'immagine dell'uomo. Palmira aveva stampate nella memoria le parole del Cardinale pronunciate nei giorni lontani della Bolla papale: "Facias et vadas pro factis tuis". Sarà un bene sarà un male questo rapimento, sarà niente, un altro vuoto, nuove sofferenze, produrrà guasti o sortilegi? Palmira era ormai spaventata di tutto, temeva confusamente anche questa improvvisa felicità delle rose e delle parole.

La carretta si avviò rumorosa per una stradina dissestata, tutta buche e sassi e polvere, seguendo l'Acquedotto Claudio fino alla Chiesa di Santo Stefano Rotondo, poi prese a mano dritta verso la Piramide, e da qui si diresse al Tevere costeggiando dal basso il Colle Aventino. Palmira si teneva con una mano aggrappata a una traversa per non cadere e con l'altra mano reggeva il mazzo di rose e il biglietto, rapita nei suoi pensieri.

Dopo averla scacciata dalla sua Casa in seguito al decreto di Leone X sulle concubine, una offesa che Palmira non gli aveva mai perdonato perché l'aveva rimessa sulla strada alla mercé dei clienti occasionali, forse il Cardinale della Torre pensava di riscattarsi con l'offerta di un concubinaggio tanto più rischioso per lui dopo l'arrivo del nuovo Papa castigatore dei peccati? Ma che bisogno c'era di quella turcheria del rapimento che avrebbe scatenato tutte le malelingue della città? E quali erano i suoi progetti veritieri? Quale futuro per lei?

Il salto da prostituta a pagamento a concubina mantenuta nella Casa di un Cardinale era stato a suo tempo un passaggio non facile, ma di sostanziosi vantaggi. Fare la prostituta d'occasione e d'impannata significava vivere allo sbaraglio, fra mille rischi e sempre con pochi denari perché i clienti occasionali sono in genere gente da poco che paga quando gli garba e non fa regali. Niente vestiti, niente collane o bracciali, niente scarpe nuove, niente inviti a pranzo.

La vita di concubina nella Casa del Cardinale della Torre aveva risolto allora i suoi problemi materiali e sentimentali, ma se quello fosse vero amore non sapeva nemmeno lei. A letto si sentiva una regina, ma l'amore era un affare troppo complicato al quale non voleva pensare. L'amore si fa e non si pensa, niente pensieri. Si lasciava vivere nella Casa del Cardinale mettendo insieme la notte e il giorno. Forse era felice, ma anche della felicità non aveva molta cognizione. Poi era arrivato quell'ipocrita decreto papale e aveva seminato la rovina tra le infelici concubine. Solo allora aveva pensato con rimpianto al periodo più felice e glorioso della sua vita.

Palmira sapeva che anche i Cardinali possono soffrire di solitudine e di vanità, ma che spesso non vogliono confessarlo per orgoglio e per non compromettere la porpora che indossano. E allora preferiscono esibire la loro forza, o comprare con il denaro ciò che potrebbero avere pacificamente esternando i propri sentimenti e le proprie debolezze. Solo così si poteva spiegare quel rapimento. Strinse al seno il mazzo di rose e il biglietto di Cosimo Rolando.

All'altezza dell'Isola Tiberina la carretta prese la strada di Monte Savello percorsa da ventate improvvise che sollevavano mulinelli di polvere e facevano sbattere il tendone che proteggeva la giovane prigioniera. Poi costeggiò il Tevere fino a via dei Pettinari, si addentrò in un dedalo di stradette per evitare via Giulia secondo le istruzioni, e finalmente si affacciò sulla piazza dell'Oro.

Palmira scostò il telone per guardare fuori e riconobbe la piazza ma, prima di arrivare al palazzo del Cardinale, la carretta si arrestò di colpo e l'uomo a cassetta si rivolse ai due malandrini.

«Deve essere successo qualcosa perché c'è tanta gente davanti alla Casa del Cardinale. Non capisco, ci sono anche dei gendarmi a cavallo.»

Uno dei due uomini scese dalla carretta e si avviò a piedi verso la piccola folla. Palmira voleva scendere ma l'altro la trattenne.

«Fammi scendere, no?»

«Prima sentiamo che cosa è successo.»

Dopo poco ritornò l'altro con una faccia lunga e sgomenta.

«Dice che lo hanno ammazzato!»

«Chi?»

«Il Cardinale. Stamattina all'alba, uno sconosciuto con due pugnalate secche.»

«Ma guarda che bordello. E adesso a noi chi ci paga?» si domandarono i due malandrini. Poi si rivolsero a Palmira.

«Tu puoi andare per i cazzi tuoi.»

Palmira si era coperto il volto con le mani appena aveva sentito la notizia. Scese dalla carretta con il suo mantellone sulle spalle e in mano il mazzo di rose e il biglietto di Cosimo Rolando.

Ma allora quando sarebbero arrivati per lei i tempi migliori? Si disse, in un pensiero disperato, che non solo di pugnale ma anche di solitudine si muore. Si guardò i lunghi capelli rossi che scendevano a coprirle il volto e si avviò lentamente verso la sua casa del Pozzo Bianco senza vedere dove metteva i piedi perché era successo qualcosa che aveva cancellato tutto, la strada, la città, la memoria.

Settimo quadro

Gli orrori della peste e le voci di vittime sempre più numerose, i morti quotidiani abbandonati spesso sulla pubblica via, avevano indotto molti Romani a rifugiarsi nelle campagne così da indurre Baldesar Castiglione a scrivere: "Roma pare una abatia spogliata per esserse partito un numero infinito di persone".

Anche molti prelati della Curia Romana si erano ritirati nelle loro ville di Viterbo, di Orvieto, Capranica, Genzano, Albano, Palestrina. Così dispersi e lontani da Roma, non tutti furono avvisati in tempo per venire ad assistere al saluto del nuovo Pontefice, che si svolse nello splendido Chiostro della Basilica di San Paolo fuori le Mura. Ma forse qualcuno preferì ignorare l'invito e rimanere in campagna per paura del contagio. Nonostante l'occasione solenne e la gravità dell'invito, il numero dei Cardinali venuti alla cerimonia presentava vistose lacune.

Forse per questo furono in pochi a notare che mancavano all'appello i Cardinali Valerio Ottoboni e Cosimo Rolando della Torre, e quelli che notarono l'assenza dei due porporati non se ne dettero pensiero. Né il Papa si accorse sul momento di assenze tanto numerose.

· Adriano, introdotto dal Priore Basilicario, ricevette i Cardinali nel Chiostro con un sorriso per ognuno, senza fare distinzione né per l'età né per il nome né per la fama. Subito dopo nella severa Sacrestia i Cardinali vennero ammessi al bacio dell'anello in forma semplice e in umiltà. Infine il Cardinale Carjaval, nella sua qualità di Decano e di Vescovo di Ostia, tenne un discorso in cui tracciava un programma di riforme che alcuni dissero concordato segretamente con il nuovo Pontefice, il quale infatti lo approvò senza riserve.

I punti stabiliti dal Carjaval riguardavano anzitutto i vizi che corrompevano la Chiesa di Roma e in primo luogo la simonia, il nepotismo, la prodigalità, la corsa ai benefizi e altre sciagure provocate dalla presenza del Maligno nella Capitale della Cristianità. Esortò quindi il nuovo Papa a circondarsi di buoni Consiglieri, a tenere a freno gli abusi dei Governatori, a fare giustizia, ad avere cura dei poveri, a raccogliere denari per una Crociata contro i Turchi che minacciavano l'Ungheria e Rodi, e soprattutto a occupare gli Uffici con persone degne. Troppo spesso, ammonì i Cardinali presenti, si erano accese violente competizioni per il possesso delle cariche più redditizie e questo era dannoso sia alla Chiesa Cattolica Apostolica Romana che al cuore dell'uomo.

In una breve risposta al Carjaval, il nuovo Pontefice, dopo avere ringraziato prima Dio e poi i Cardinali per la sua elezione, si dichiarò deciso a porre argine al disordine e alle violenze che avevano infestato la Capitale "a cagione dei peccati degl'uomini, ma ben più per quelli de' sacerdoti e prelati della Chiesa" e proseguì con una affermazione che raggelò tutti i presenti:

«Noi sappiamo essere accadute in questa Santa Sede cose nefande, abusi nelle cose spirituali, eccessi nelle prescrizioni e altre cose ancora».

Non poteva sapere il nuovo Pontefice che una conferma delle "cose nefande" alle quali aveva fatto menzione erano proprio, lì sotto i suoi occhi, i due seggi vuoti degli eminentissimi Cardinali Cosimo Rolando della Torre e Valerio Ottoboni.

Per assecondare i suoi progetti di riforma e in attesa di tempi migliori, pregò i porporati di rinunciare al diritto di concedere asilo ai malfattori e di aiutarlo con le preghiere e con azioni buone e onorevoli.

Dalle sue parole, poche ma forti, i Cardinali capirono che molte cose sarebbero cambiate a Roma, sia in meglio sia in peggio come sempre succede nella Storia, e che i tempi migliori annunciati dal nuovo Pontefice sarebbero stati per molti di loro sicuramente peggiori.

Indice

«Le maschere»
di Luigi Malerba
Collezione Scrittori italiani

Finito di stampare nel mese di gennaio dell'anno 1995
presso la Arnoldo Mondadori Editore S.p.A.
Stabilimento N.S.M. di Cles (Trento)

Stampato in Italia - Printed in Italy